Hanes yn y Tir

Edrych am Hanes Cymru

Am yr awdur

Mae gan Elin Jones ddiddordeb yn hanes Cymru ers pan oedd hi'n blentyn, er na chafodd ddysgu llawer am hynny yn yr ysgol. Ond wedi iddi ennill gradd MA yn hanes Lloegr, aeth ymlaen i ennill graddau MA a PhD yn hanes a llenyddiaeth Cymru yn yr Oesoedd Canol.

Rhoddodd blynyddoedd fel athrawes hanes yn Ysgolion Cyfun Preseli, Rhydfelen a Chwm Rhymni brofiad iddi o'r dulliau gorau o gyflwyno'i phwnc. Cafodd brofiadau dysgu gwahanol ond cyfoethog iawn wrth weithio fel swyddog addysg yn yr Amgueddfa Genedlaethol. Wedi hynny, bu'n gyfrifol am ddatblygu'r cwricwlwm hanes yng Nghymru, ac am adroddiad ar y Cwricwlwm Cymreig a Stori Cymru i Lywodraeth Cymru.

Ffrwyth blynyddoedd o ymchwil a dysgu sydd yn y llyfr hwn felly, ond mae'r awdur yn pwysleisio mai taith bersonol ydyw trwy hanes Cymru. Fel pob llyfr hanes, mae'n adlewyrchu diddordebau a phrofiadau'r awdur. Ond mae hi'n gobeithio y cewch chi gymaint o hwyl ar ei ddarllen ag y cafodd hi wrth ei ysgrifennu!

Enwi'r canrifoedd

O ran cysondeb ac eglurder, defnyddir y ffurfiau 21G, 20G, 19G, 18G ac ati i ddynodi'r canrifoedd yn y testun. Dyma'r geiriad sy'n cael ei gynrychioli gan y llaw fer honno:

21G	unfed ganrif ar hugain
20G	ugeinfed ganrif
19G	pedwaredd ganrif ar bymtheg
18G	deunawfed ganrif
17G	ail ganrif ar bymtheg
16G	unfed ganrif ar bymtheg
15G	pymthegfed ganrif
14G	pedwaredd ganrif ar ddeg

Hanes yn y Tir

Edrych am Hanes Cymru

Elin Jones

Argraffiad cyntaf: 2021
ⓗ testun: Elin Jones
ⓗ y cyhoeddiad: Gwasg Carreg Gwalch

Rhif Llyfr Safonol Rhyngwladol:
978-1-84527-831-1

Ariennir gan
Lywodraeth Cymru
Funded by
Welsh Government

Cydnabyddir yn ddiolchgar gymhorthdal gan Lywodraeth Cymru
tuag at greu'r adnodd hwn.

Panel Ymgynghorol:
Huw Griffiths, Eryl Owain, Toni Schiavone, Hedd Ladd Lewis
Cyfarwyddwr: Myrddin ap Dafydd; Rheolwr: Llio Elenid
Treialwyd gan athrawon yn:
Ysgol Bethel, Gwynedd; Ysgol Glantaf, Caerdydd;
Ysgol Gynradd Penparc, Ceredigion; Ysgol Cwm Banwy, Powys.
Golygydd Testun: Marian Beech Hughes
Ymchwilydd lluniau a ffotograffau: Iestyn Hughes
Lluniau'r clawr blaen a chefn: Elin Manon
Dylunio'r clawr: Dylunio GraffEG
Dylunio'r gyfrol o glawr i glawr: Dylunio GraffEG

Cyhoeddwyd gan Wasg Carreg Gwalch,
12 Iard yr Orsaf, Llanrwst, Dyffryn Conwy, Cymru LL26 0EH.
Ffôn: 01492 642031
e-bost: llyfrau@carreg-gwalch.cymru
lle ar y we: www.carreg-gwalch.cymru

Argraffwyd a chyhoeddwyd yng Nghymru

Cyflwynir y gyfrol hon i
Josephine

Rhagymadrodd

Fe hoffwn i gael peiriant amser, a theithio yn ôl trwy'r canrifoedd. Hoffwn i weld sut oedd pethau yn y gorffennol. OND – allwn ni ddim teithio yn ôl mewn amser, ddim i'r llynedd, nac i ddoe – na hyd yn oed i'r eiliad ddechreuoch chi ddarllen y frawddeg hon. Fe allwn ni gofio, gallwn ni adrodd stori, gallwn edrych ar lun. Ond allwn ni ddim ail-fyw'r gorffennol. Mae wedi llithro fel dŵr drwy ein bysedd.

Elin Jones, yr awdur, wrth ddrws adeilad a godwyd dros Ffynnon Fair, Pen-rhys, yn y Rhondda

Ond mae'n bosib gweld olion y gorffennol. Maen nhw i'w gweld yn ein cartrefi. Dyna'r crac yn y ffenest ar ôl gêm bêl-droed, neu'r crafiadau ar y drws sy'n ein hatgoffa mor daer yw'r ci i fynd am dro. Efallai fod marciau ar y wal rywle yn eich tŷ chi sy'n dangos eich taldra wrth i chi dyfu. Dyna ddarn o'ch hanes chi sy'n rhan o hanes eich cartref hefyd.

Mae ôl y gorffennol arnon ni ein hunain hefyd. Beth arall yw lliw haul ar wyneb? Neu graith ar ben-glin ar ôl damwain ar feic?

Mae hen albwms lluniau mewn sawl cartref. Agorwch nhw, holwch pwy oedd y bobl yma a gwrandewch ar y straeon amdanyn nhw ...

**Mae hanesion a chwedlau wedi'u casglu mewn llyfrau ers canrifoedd.
Gall y rhain roi gwybodaeth am ein gorffennol.**

Mae pobl wedi byw ar y blaned hon ers miloedd ar filoedd o flynyddoedd. Ac maen nhw wedi gadael eu marc ar lawer rhan ohoni. Wrth inni ddod o hyd i'r pethau sydd wedi cael eu gwneud gan bobl oedd yn byw yma yn y gorffennol, fe fyddwn ni'n dechrau darganfod hanes ein gwlad.

Edrychwch ar enwau lleoedd eich ardal. Chwiliwch
am fap sy'n dangos y pentrefi a'r afonydd a'r
mynyddoedd. Cymraeg yw llawer o'r enwau hyn -
ac mae'r iaith yn perthyn inni i gyd.

Mae rhai pobl yn meddwl mai drwy ddarllen llyfrau yn unig rydyn ni'n dysgu am y gorffennol. Ond rydyn ni hefyd yn gallu dysgu wrth edrych o'n cwmpas. Mae'r adeiladau welwn ni, ac enwau trefi a strydoedd hefyd – i gyd yn dweud rhywbeth wrthon ni am y gorffennol.

Bydd y llyfr hwn yn eich helpu i ddod i wybod am hanes, lle bynnag ydych chi yng Nghymru.

Ond sut ydyn ni'n gwybod am hanes?

Dros y canrifoedd mae pobl wedi bod eisiau gwybod am y gorffennol. Fe fydden nhw adrodd storïau roedden nhw wedi'u clywed gan eu rhieni. Mae ambell fynydd yn edrych fel 'cadair cawr' – ac efallai fod enw hen arwr wedi'i gadw'n fyw yn enw'r mynydd. Dro arall mae hen enw ar faen hir neu garreg fawr ar y tir.

Yna datblygodd y grefft o ysgrifennu, ar wahanol adegau mewn gwahanol wledydd – o'r Aifft i China a Guatemala. Ar ôl i bobl ddysgu sut i ysgrifennu, fe ddechreuon nhw gadw cofnodion a nodi digwyddiadau pwysig. Yn ddiweddarach, dechreuon nhw ysgrifennu llyfrau, weithiau am hanes eu pobl.

Heddiw mae pobl yn astudio pethau gafodd eu gwneud gan bobl yn y gorffennol, a'r pethau maen nhw wedi'u hysgrifennu. Mae rhai pobl yn chwilio'n arbennig am bethau o'r gorffennol sydd wedi'u cadw yn y tir o'n cwmpas. Archaeolegwyr yw'r enw arnyn nhw. Mae pobl eraill yn arbenigo ar yr hanes sydd mewn llyfrau. Haneswyr yw'r enw arnyn nhw. Ond mae archaeolegwyr a haneswyr yn dibynnu ar ei gilydd i geisio gwella'u syniadau am y gorffennol.

Erbyn heddiw, maen nhw'n dibynnu

Maen Llia, Bannau Brycheiniog. Mae rhywrai rywdro wedi mynd i drafferth i godi'r garreg anferth hon filoedd o flynyddoedd yn ôl ... Ond does neb yn gwybod pam. Mae'r stori ar goll erbyn hyn.

(uchod) Archaeolegwyr a gwirfoddolwyr yn tyrchu i'r ddaear ar safle Dinas Dinlle, ger Caernarfon; (isod) Archaeolegydd yn dal darn o gyllell a gafodd ei llunio tua mil o flynyddoedd yn ôl

hefyd ar waith gwyddonwyr. Mae gwyddonwyr yn defnyddio gwyddoniaeth a thechnoleg i chwilio am olion o'r gorffennol. Wedyn maen nhw'n gallu eu hastudio'n fanwl. Mae sgiliau aruthrol gan wyddonwyr heddiw. Fe allan nhw ddefnyddio peiriannau yn y pridd i ddod o hyd i siâp adeilad sydd wedi diflannu ers canrifoedd. Neu fe allan nhw ganfod lliw gwreiddiol y papur wal mewn hen dŷ.

Drwy roi dant mewn peiriant arbennig, gall gwyddonwyr ddarganfod llawer am iechyd, bwyd a phlentyndod y person. Mae datblygiadau diweddar mewn geneteg yn ei gwneud yn bosib olrhain teulu rhywun 'nôl yn bell iawn iawn.

Yr Ysgwrn oedd cartref y bardd Hedd Wyn, a laddwyd yn y rhyfel yn 1917. Cafodd y tŷ ei adfer yn 2017. Wrth grafu'r papur wal mewn un ystafell, gwelwyd bod 26 haen o bapur yno! Roedd pob un yn perthyn i gyfnod arbennig. Roedd gan bob haen o bapur ei hanes.

Ond er yr holl dechnoleg, a'r holl wybodaeth sydd ar gael nawr, DYFALU mae pawb. Gorau po fwyaf o wybodaeth sydd gennych chi, fel bod eich dyfalu'n gwella, ond allwn ni ddim – eto – fynd yn ôl mewn amser.

Mae'r llyfr yma'n defnyddio gwybodaeth a syniadau'r bobl hyn i gyd. Ond rhaid penderfynu beth i'w gynnwys, a beth i'w adael allan ... Dyma UN stori am Gymru, a'r hyn allwch chi ei ddysgu am ei hanes wrth ymweld â'i threfi, ei phentrefi, ei thraethau a'i bryniau. Beth fydd eich stori CHI?

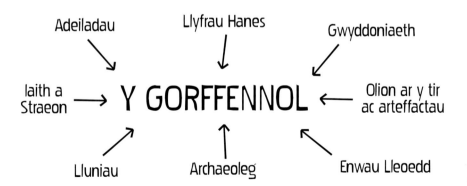

Adeiladau

Llyfrau Hanes

Gwyddoniaeth

Iaith a Straeon → Y GORFFENNOL ← Olion ar y tir ac arteffactau

Lluniau

Archaeoleg

Enwau Lleoedd

Safle un o frwydrau Owain Glyndŵr – Bryn Glas, Maesyfed, Powys, ym mis Mehefin 1402. Gallwch gerdded dros faes y frwydr heddiw a gweld sut roedd mantais gan y Cymry gan fod eu milwyr ar ben y llethr serth. Mae ffens o amgylch y coed tal ar y llechwedd. Yn ôl y chwedl, mae cannoedd o filwyr wedi'u claddu yno – ond does dim modd gweld hynny wrth edrych ar wyneb y tir.

Rhybudd 1

Rwy'n ofni bod llawer iawn o greulondeb, rhyfel a marwolaeth mewn hanes. Dyw pobl sy'n garedig ac yn byw'n gytûn ddim yn gadael llawer i ni ei ddarganfod. Pobl sy'n lladd ei gilydd a phobl sy'n adeiladu beddau i'r rhai sydd wedi marw – dyma'r bobl sy'n gadael eu hôl ar wlad. Maen nhw'n gadael esgyrn ac arfau wedi'u claddu yn y pridd. Hefyd, mae pobl sy'n adeiladu caerau a chestyll i amddiffyn eu hunain yn gadael olion. Wrth i amser fynd yn ei flaen, mae pethau'n gwella – ond dim llawer.

Rhybudd 2

Unwaith y dechreuodd pobl ysgrifennu, ryw dair i bedair mil o flynyddoedd yn ôl, mae'n haws darganfod mwy am yr hyn oedd yn digwydd iddyn nhw. Cyn hynny, am filoedd a miloedd o flynyddoedd, dydyn ni ddim yn gwybod fawr ddim am ffordd pobl o fyw. Mae'n debyg na wnaeth eu ffordd o fyw newid rhyw lawer am filoedd o flynyddoedd. Ond roedd pethau'n digwydd ac yn newid – yn araf iawn, iawn. Mae'n rhaid DYFALU llawer iawn am yr hanes cynnar hwn.

Rhaid cofio hefyd fod hanes o bob math yn cael ei ysgrifennu gan bobl sydd wedi dysgu sut i wneud hynny. Rhaid fod ganddyn nhw hefyd amser i eistedd i lawr i ysgrifennu. Am ganrifoedd a chanrifoedd roedd llawer mwy o fechgyn na merched yn dysgu darllen, ysgrifennu a rhifo. Felly, dynion oedd yn ysgrifennu hanes, ac roedden nhw'n tueddu i ysgrifennu hanes dynion yn unig, yn anffodus!

Weithiau, rydyn ni'n dod ar draws hen bapur newydd mewn hen gwpwrdd. Er nad yw'n ddim ond ychydig flynyddoedd oed, efallai, mae'n edrych mor wahanol. Eto, fe allwn adnabod rhai enwau ynddo, neu wybod am ambell le mewn ambell lun. Mae'n anodd dilyn y straeon, sy'n swnio mor ddieithr. Ond am filoedd o flynyddoedd roedd yn rhaid ysgrifennu pob llyfr gyda llaw. Dyma lyfr am hanes Cymru a gafodd ei ysgrifennu 800 mlynedd yn ôl, a hynny ar groen gafr, nid ar bapur! Gallwch ddychmygu pa mor anodd yw hi i'w ddarllen heddiw.

Shirley Bassey yn canu i aelodau o'r Bute Street Rainbow Club yn Tiger Bay, Caerdydd, yn 1957. Roedd y Rainbow Club yn glwb ieuenctid nodweddiadol o'r ardal, gyda theuluoedd o bob rhan o'r byd yn aelodau. Mae'n werth gwylio ffilmiau fel *A Stroll Through Tiger Bay* ar YouTube.

Dros y canrifoedd, daeth pobl i dir a threfi Cymru o sawl rhan o'r byd, gan ddod â'u straeon gyda nhw a'u plethu'n rhan o hanes Cymru. Mae'r amrywiaeth o ddiwylliannau sy'n rhan o'n gwlad i'w weld yn Ysgol Gynradd Gymraeg Hamadryad, Caerdydd. Yno, mae'r plant (yn 2021) yn dod o aelwydydd lle mae 22 iaith wahanol yn cael ei siarad, yn cynnwys Cymraeg a Saesneg.

Gweithwyr yn sgwrsio dros baned. Allwn ni ddim ond dyfalu beth oedd yn cael ei drafod. Cyflog annheg, efallai ... peryglon y gwaith ... chwaraeon lleol ... gwleidyddiaeth a chrefydd ... neu glecs y pentref? Maen nhw'n chwedleua ...

Prentisiaid mewn ffatri arfau yng Nghaerdydd yn ystod yr Ail Ryfel Byd. Maen nhwythau'n chwedleua hefyd!

Mae hanes hir a chyfoethog gan lawer o wledydd. Ond os nad oedd y bobl yn gallu ysgrifennu, mae llawer o'r hanes hwnnw wedi diflannu. Canlyniad hyn i gyd yw fod hanes wedi cael ei ysgrifennu gan ddynion. A'r rhan fwyaf ohonyn nhw'n wyn eu croen ac yn byw yn Ewrop. Fe fydden nhw'n ysgrifennu am ddynion tebyg iddyn nhw eu hunain hefyd. Rhaid cofio hynny bob amser wrth geisio darganfod mwy am y gorffennol.

Elin Jones
Haf 2021

A beth am straeon plant Cymru? Mae hen lyfrau cofnodion ysgolion yn rhoi darlun o fyd addysg yn y gorffennol. Dyma ran o gofnodion Ysgol Rhiwddolion, ger Betws-y-coed. Mae'r pentref bellach yn adfeilion ond mae'r rhestr hon ar gael o hyd ac yn rhoi cip inni ar fywydau - ac ar iaith - y gorffennol.

Cromlech	Bryngaer	Caer Rufeinig
tua -3500	tua -1300 i 50	tua 70 i 400

Dyddiadau

Rhan 1: llinell amser

Cwestiynau

- Pwy oedd y bobl gyntaf i fyw yma?
- Ble mae ieithoedd Celtaidd i'w clywed heddiw?

300	400	500	600	700	800	900

Eglwys
tua 500

Clawdd Offa
tua 780

Cyfraith Hywel
tua 930

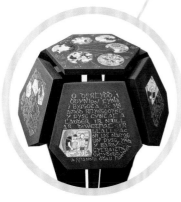

- Sut y gadawodd y Rhufeiniaid eu hôl ar y wlad?
- Pam fod Cristnogaeth mor bwysig yng Nghymru?
- Beth ddigwyddodd wedi i filwyr Rhufain adael?

Dyma lun o weddillion coedwig tua 5,000 o flynyddoedd oed. Cafodd y goedwig ei chladdu wrth i lefel y môr godi pan doddodd llen rhew yr Oes Iâ. Ond mae'r boncyffion hyn yn ailymddangos ar ôl rhai stormydd ar draeth y Borth, Ceredigion.

Mae'r boncyffion a'r gwreiddiau hyn yn ein hatgoffa o chwedl Cantre'r Gwaelod – un o hen straeon mwyaf poblogaidd Cymru. Pan fyddwn ni'n defnyddio'r gair 'chwedl' heddiw, ei ystyr yw 'stori ddychmygol'. Ond ystyr 'chwedleua' yw dweud stori – ei hadrodd ar lafar. Cyn bod pobl yn ysgrifennu, roedd digwyddiadau a phobl y gorffennol yn cael eu cofio drwy adrodd hanesion amdanyn nhw. Wrth ailadrodd y stori, byddai'n newid ac yn tyfu, ac yn dod yn fwy dramatig. Dyna beth sy'n digwydd bob amser wrth i bobl adrodd hanes yr hyn sydd wedi digwydd iddyn nhw. Meddyliwch am y disgrifiadau y byddwch chi'n eu rhoi i'ch ffrindiau am bethau sydd wedi digwydd i chi. Ydych chi'n 'gwella' manylion yr hanes moel?

OGOFÂU A CHROMLECHI

Y bobl ġyntaf oll

Mae hanes pobl yn ymestyn yn ôl dros 300,000 o flynyddoedd o leiaf. Am y rhan fwyaf o'r amser hir hwnnw, rydyn ni'n credu bod pobl yn byw fel anifeiliaid, yn hela anifeiliaid eraill – ac yn cael eu hela gan anifeiliaid yn eu tro. Doedden nhw ddim

Y fynedfa i Ogof Pontnewydd, ger Llanelwy

yn gadael eu hôl ar y wlad o'u cwmpas. Ac os oedden nhw'n adeiladu rhywbeth oedd yn debyg i dai, does neb wedi darganfod olion yr un ohonyn nhw. Mae'n debyg eu bod nhw'n byw neu'n cysgodi mewn ogofâu. Wrth i amser fynd yn ei flaen, fe ddechreuon nhw wneud offer o gerrig ac esgyrn. Mae archaeolegwyr wedi darganfod esgyrn ac

Bwyell law o Gadfarch, Powys

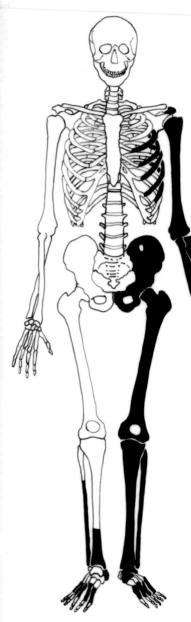

Daeth yr esgyrn
'du' yn y llun
hwn o Ogof
Pafiland

offer rhai o'r bobl gynnar hyn. Fe allen nhw ddysgu rhywfaint amdanyn nhw drwy fynd â'r pethau hyn i amgueddfa a'u hastudio. Ond does dim byd i'w weld nawr yn y mannau lle roedd y bobl gynnar hyn yn byw.

Yn Ogof Pontnewydd, ger Llanelwy, fe ddaeth archaeolegwyr o hyd i ddannedd a darn o asgwrn gên plentyn oedd tua naw mlwydd oed pan fu farw – tua 230,000 o flynyddoedd yn ôl. Roedd dros fil o ddarnau gwahanol o garreg yn yr ogof hefyd. Byddai'r bobl oedd yn byw yn yr ogof yn taro un darn o garreg yn erbyn un arall i wneud math ar forthwyl neu gyllell.

Aeth miloedd a miloedd o flynyddoedd heibio eto, ac yn ystod y canrifoedd hynny datblygodd y grefft o wneud offer o garreg ac esgyrn. Efallai fod offer o bren ganddyn nhw hefyd, ond byddai'r rheini wedi pydru a diflannu. Fe fyddai'r bobl hyn yn cael bwyd drwy hela anifeiliaid a chasglu planhigion, ffrwythau a hadau. Daeth y newid mawr cyntaf tua 5,000 o flynyddoedd yn ôl. Dyna pryd ddysgodd pobl sut i greu a defnyddio tân, a sut i blannu a thrin cnydau. Fe fydden nhw hefyd yn gwneud offer hardd o gerrig wedi'u sgleinio, ac yn defnyddio darnau bach miniog o garreg ar gyfer pennau saethau a gwaywffyn. Digwyddodd y newidiadau hyn dros gyfnod hir o amser,

Clogwyn garw a serth ym Mhenrhyn Gŵyr lle mae agoriad Ogof Pafiland yn
wynebu'r môr: roedd lefel y môr yn uwch ganrifoedd yn ôl.
Manylyn: tu mewn i'r ogof

ac ym mhob rhan o'r byd ar wahanol adegau.

Dyma'r bobl gyntaf i adael eu hôl ar Gymru, drwy gwympo coed ac aredig y tir. Fe fydden nhw'n torri neu'n llosgi'r fforestydd er mwyn clirio'r tir a thyfu cnydau. Yna, pan na fyddai'r cnydau tyfu'n dda, fe fydden nhw'n symud ymlaen i glirio darn newydd o dir. Os edrychwch chi ar fryniau moel Cymru heddiw, fe welwch chi ôl y ffermwyr cyntaf hyn. Dros filoedd o flynyddoedd, fe wnaethon nhw ddinistrio'r coedwigoedd er mwyn ffermio'r tir, gan adael y tir uchel yn dlawd ac yn sur. Fyddai coedwigoedd ddim yn tyfu yno mwy.

**Pen bwyell o waith
y Graig Lwyd,
Penmaen-mawr**

Ond fe greodd yr un bobl bethau rhyfeddol hefyd. Llwyddon nhw i godi cromlechi – tair neu bedair o gerrig mawr wedi eu gosod yn ofalus i gynnal un garreg anferth sy'n gorwedd yn ddiogel arnyn nhw. Does neb yn gwybod hyd heddiw sut y llwyddon nhw i wneud hynny. Ar y dechrau,

Tirwedd foel ger Llyn y Fan Fach

24

GRADDFA |⊢────⊣| 20milltir/32km

Dosbarthiad prif gromlechi (chwith) a phrif gylchoedd cerrig a meini hirion Cymru (dde). Gallwch weld eu bod fel petaen nhw'n dilyn y prif ddyffrynnoedd. Felly, mae archaeolegwyr yn meddwl fod hyn yn awgrymu eu bod wedi'u codi gan bobl a ddaeth dros y môr o'r gorllewin a theithio i fyny'r prif ddyffrynnoedd.

Rhai o gromlechi a meini hynafol Cymru

Bryn Cader Faner, Meirionnydd

Maen Penfras Uchaf, ger Pwllheli

Carreg Samson, Penfro

Pentre Ifan, Penfro

Din Llugwy, Môn

Tinkinswood, Bro Morgannwg

Cylch meini uwchben Penmaen-mawr, Conwy

fe fyddai pob cromlech wedi ei chuddio dan lwythi o bridd, ac mae rhai ohonyn nhw dan y pridd hwnnw o hyd. Bedd oedd pob cromlech, ond efallai eu bod nhw hefyd yn fannau i bobl gwrdd. Does neb yn gwybod yn bendant. Mae hyn mor bell yn ôl fel does neb yn cofio, a doedd y bobl a gododd y pethau rhyfeddol hyn ddim yn ysgrifennu. Mae tua 150 o gromlechi yng Nghymru, a channoedd eraill yn Iwerddon, yr Alban, Sbaen a Llydaw.

Cododd pobl y cromlechi gylchoedd anferth o gerrig neu o goed hefyd, fel Côr y Cewri. Mae hwnnw yn Lloegr, ond mae rhai o'r cerrig wedi eu symud yno o Fynydd y Preseli, bron 200 milltir i ffwrdd. Does neb yn gwybod sut yr aeth y cerrig anferth draw i Gôr y Cewri, na beth oedd y rheswm dros ei godi. Ond mae llawer o esboniadau gwahanol amdano. DYFALU yw'r gair mawr o hyd!

Côr y Cewri, de Lloegr

BRYNGAERAU

Oes yr Haearn

Tua 3,000 o flynyddoedd yn ôl, dechreuodd pobl wneud pethau o'r mwyn metel sydd i'w gael mewn rhai cerrig. I ddechrau, fe ddefnyddion nhw'r metelau sy'n hawdd i'w toddi

Pentref Celtaidd wedi ei ail-greu drwy ddehongli'r dystiolaeth archaeolegol. Mae hwn ar safle bryngaer yng Nghastell Henllys, Penfro. Manylyn: cleddyf Llyn Fawr

a'u trin – fel copr ac alcam. Mae haearn yn fwy anodd ei drin, ond mae offer haearn yn fwy miniog a chaled nag offer copr neu efydd (cymysgedd o alcam a chopr). Daw'r darn cyntaf o haearn gafodd ei ddarganfod yng Nghymru o Lyn Fawr, uwchben Cwm Rhondda. Roedd wedi cael ei wneud tua 2,600 o flynyddoedd yn ôl. Darn o gleddyf ydyw. Efallai iddo gael ei wneud yng Nghymru, ond does neb yn siŵr.

Ysgrifennu

Erbyn hyn, roedd pobl mewn gwledydd fel Groeg a'r Aifft wedi dechrau byw mewn trefi. Fe fydden nhw'n codi adeiladau hardd i fyw ynddyn nhw – ac fe fydden nhw'n ysgrifennu hefyd. Roedden nhw'n ysgrifennu

Tŷ crwn, Mynydd Tŵr, Caergybi, Môn

llyfrau mathemateg, gwyddoniaeth, daearyddiaeth a hanes. Oherwydd iddyn nhw gael eu hysgrifennu, mae llawer o farddoniaeth a dramâu Groeg ar gael i ni heddiw. Dyma'r rheswm pam rydyn ni'n gwybod cymaint am bobl yr Aifft a Groeg, er eu bod yn byw mor bell yn ôl mewn amser.

Yn Nhal-y-llyn, Meirionnydd, daeth casgliad o ddarnau o offer a chelfyddyd Geltaidd o Oes yr Haearn i'r golwg. Mae un plât arbennig yn dangos dau ben dynol ag un gwddw'n eu cysylltu. Mae'n rhaid ei fod yn golygu rhywbeth arbennig i'r crefftwr wnaeth ei lunio: beth feddyliwch chi oedd hynny? Darlun ohono gan John Meirion Morris yw hwn a chredai ef ei fod yn cynrychioli delwedd o gylch bywyd, oedd yn bwysig iawn i'r Celtiaid.

Y Celtiaid

Yn ogystal ag adeiladau ac offer, mae enwau lleoedd yn gallu dweud rhywbeth wrthon ni am y gorffennol. Tua 3,000 o flynyddoedd yn ôl, roedd llawer o sôn gan y Groegiaid am y Celtiaid, pobl oedd yn byw yn ymyl eu gwlad nhw. Yn ôl y Groegiaid, roedd y Celtiaid yn byw ym mhob rhan o Ewrop. Roedden nhw'n siarad iaith arbennig. Yr iaith honno, efallai, oedd mamiaith y Gymraeg rydyn ni'n ei siarad heddiw, a hefyd mamiaith yr iaith Lydaweg, Cernyweg, Galeg yr Alban, Manaweg a'r Wyddeleg. Mae enwau lleoedd mewn nifer o wledydd Ewrop, o Ffrainc, yr Almaen a Sbaen draw i Dwrci, yn dod o'r un heniaith honno.

Yn ôl y Groegiaid, roedd y Celtiaid yn bobl ryfelgar, ac roedd bod yn ddewr wrth ymladd yn bwysig iawn iddyn nhw. Y gair Celtaidd am y dewrder hwnnw oedd 'gâl'. Ac mae'r gair hwnnw'n rhan o enwau lleoedd fel Galicia yn Sbaen a Galatia yn Nhwrci. Gâl oedd hen enw'r wlad sy'n cael ei galw'n Ffrainc heddiw.

Rydyn ni'n gwybod bod y Celtiaid yn grefftwyr medrus, oherwydd mae'r tlysau a'r offer sydd wedi cael eu cadw o'u hamser nhw wedi eu gwneud mor gain. Gallwn weld rhai o'r pethau hardd wnaethon nhw mewn sawl amgueddfa ar draws Ewrop. Mae rhai o'r pethau hyn yn cynnwys patrymau sydd fel petaen nhw'n newid wrth i chi edrych arnyn nhw.

Rhaid cofio bod y Celtiaid, fel pobl eraill y cyfnod hwn, yn defnyddio caethweision. Cafodd un o gampweithiau gwaith haearn Celtiaid Cymru ei ddarganfod yn Llyn Cerrig Bach, Môn. Cadwyn i glymu rhes o gaethweision oedd hi.

Ond daw llawer o'r hyn wyddon ni amdanyn nhw o'r llyfrau gafodd eu hysgrifennu gan bobl oedd yn ymladd yn eu herbyn – pobl Groeg a Rhufain. Rhaid i ni DDYFALU llawer am y Celtiaid, a chofio dyw pobl ddim fel arfer yn dweud pethau da am eu gelynion.

Mae enwau lleoedd ar draws Ewrop yn dod o iaith y Celtiaid

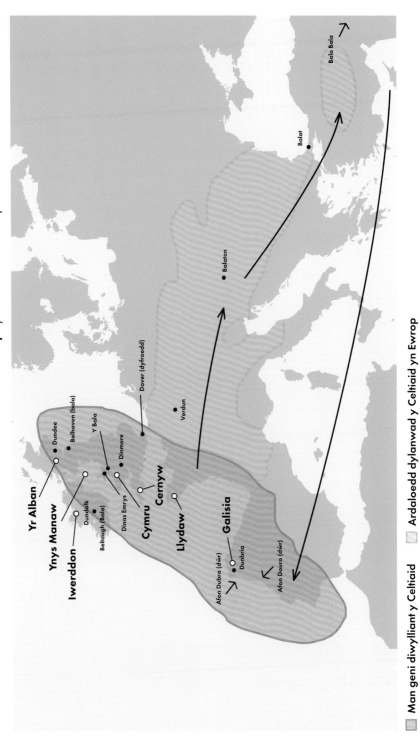

Yr Alban

Ynys Manaw

Iwerddon

Cymru

Cernyw

Llydaw

Galisia

Dundee

Belhaven (bala)

Y Bala

Dinmore

Dundalk

Belhaugh (Bala)

Dinas Emrys

Dover (dyfroedd)

Verdun

Balaton

Balat

Bala Bala

Afon Dubra (dŵr)

Dunbria

Afon Douro (dŵr)

Man geni diwylliant y Celtiaid ▢   Ardaloedd dylanwad y Celtiaid yn Ewrop

Bryngaerau

Mae olion cartrefi'r Celtiaid i'w gweld yn y bryngaerau sydd wedi eu lleoli ledled Ewrop, lle bynnag roedd y Celtiaid yn byw. Casgliad o dai wedi eu hadeiladu ar ben bryn uchel yw bryngaer. Mae ffosydd a chloddiau uchel o bridd o gwmpas y tai hyn. Mae dros 600 o fryngaerau yma yng Nghymru. Oherwydd eu bod mewn mannau anodd eu cyrraedd ac wedi eu hamddiffyn yn dda, mae'n debyg eu bod wedi eu hadeiladu i ddiogelu pobl adeg rhyfel. Ond does dim llawer i brofi hynny, oherwydd ychydig iawn o bethau sydd wedi eu darganfod o fewn y bryngaerau ar wahân i seiliau tai.

Pen-y-crug, ger Aberhonddu (uchod), a llun yn dyfalu sut y byddai pentref Celtaidd yn edrych ar Fynydd Twr, Caergybi

Llun gyferbyn: bryngaer Tre'r Ceiri, Llŷn. Seiliau tai yw'r cylchoedd bychain o fewn y muriau. Manylyn: gweddillion un o'r tai

Caer-went, Caerllion, Caerfyrddin – mae llawer o'n trefi'n cynnwys elfennau Celtaidd a Lladin yn eu henwau.

Y Rhufeiniaid

Er bod y Groegiaid yn ymladd â'r Celtiaid, doedden nhw ddim yn ceisio'u goresgyn. Ond, tua 2,000 o flynyddoedd yn ôl, dechreuodd trigolion un dref yn yr Eidal geisio goresgyn y trefi o'u cwmpas. Enw'r dref

Uchod mae rhan o fur Rhufeinig Caer-went a stryd o siopau yn y dref hynod honno.

honno oedd Rhufain, a dros y canrifoedd llwyddodd i greu ymerodraeth oedd yn ymestyn o'r Alban i ogledd Affrica, ac o Sbaen hyd at ffiniau Iran.

Gadawodd y Rhufeiniaid eu hôl ar Ewrop gyfan. Am fil a mwy o flynyddoedd, eu hiaith nhw, sef Lladin, oedd iaith addysg ym mhobman yn Ewrop. Pan benderfynodd Cystennin, un o'r ymerawdwyr oedd yn rheoli'r Rhufeiniaid, ddod yn Gristion, daeth Cristnogaeth yn ffydd swyddogol ym mhob rhan o'r ymerodraeth. Sefydlwyd y Pab yn Rhufain yn arweinydd ar y grefydd. Ganrifoedd yn ddiweddarach, y Pab yw

Caer y Rhufeiniaid – Segontium – yn rhan o dref Caernarfon heddiw

Rhan o farics y lleng o filwyr oedd wedi eu lleoli yng nghaer fwyaf y Rhufeiniaid yng Nghymru – Caerllion

pennaeth un garfan o Gristnogion o hyd, sef Eglwys Rufain, neu'r Eglwys Gatholig. Yn hen ddinas Rhufain y mae'r Pab yn byw hyd heddiw.

Drwy ymladd y llwyddodd y Rhufeiniaid i ennill yr holl wledydd ddaeth yn eiddo iddyn nhw. Roedd eu milwyr yn cael eu disgyblu'n galed, ac roedd trefn arbennig o gadarn i'r fyddin. Er enghraifft, roedd pob caer Rufeinig wedi ei hadeiladu i'r un patrwm yn union. Felly, roedd pob milwr yn gwybod yn syth ble roedd y pencadlys, y stordy arfau, y swyddfeydd a'r adeiladau eraill i gyd. Os edrychwch chi ar batrwm caer Segontium, ger Caernarfon, neu Gaerllion, ger Casnewydd, yr un yn union yw eu cynllun â chaerau Sbaen, gogledd Affrica a Thwrci.

Roedd disgwyl i filwr Rhufeinig fod yn ddigon cryf i gerdded 30 cilometr y dydd, gyda'i holl offer a'i arfau ar ei gefn. Adeiladodd y Rhufeiniaid ffyrdd da i gysylltu pob rhan o'r ymerodraeth – ac roedd pob ffordd yn y pen draw yn arwain at ddinas Rhufain ei hun.

Amffitheatr Caerllion (uchod); Baddondy Rhufeinig Caerllion (isod)

Mae ffurf corneli sgwâr caer y Rhufeiniaid yn Nhomen y Mur, Trawsfynydd, yn amlwg. Adeiladwyd tomen castell yno wedyn yn yr Oesoedd Canol.

CAERAU, TREFI A FFYRDD

Ar y map gyferbyn ac yn rhai o'r lluniau sy'n dilyn, mae lleoliad a natur caerau'r Rhufeiniaid yng Nghymru i'w gweld. Y caerau oedd cartrefi'r milwyr Rhufeinig. Roedd caer fawr yng Nghaernarfon, Gwynedd, ac un fwy fyth yng Nghaerllion, Gwent, dros 250 o gilometrau i ffwrdd. Mae'r ddwy gaer yn hollol wahanol i fryngaerau. Rhwng y ddwy gaer hyn roedd gan y milwyr rwydwaith o ffyrdd ac isgaerau.

CAER

Gair sy'n perthyn i'r ieithoedd Celtaidd yw 'caer'. Mae'n ffurf ar y geiriau 'cae' a 'caeaf', fel yn 'caeaf y drws'. Hen air am amddiffynfa gaeedig, ddiogel ydyw. Yn aml, mae hynny'n golygu muriau sy'n gwarchod calon y sefydliad. Mae'r rhan fwyaf o olion y Rhufeiniaid yng Nghymru yn rhai milwrol – ffyrdd a chaerau. Datblygodd llawer o'r caerau yn drefi ac mae'r rheini'n cynnwys yr elfen 'caer' yn enw'r lle o hyd. Uchod, mae llun o bentref Caer-went, sy'n dal i fod o fewn muriau'r hen dref Rufeinig hyd heddiw. Waliau crwn neu waliau tro yn dilyn siâp y tir oedd gan fryngaerau'r Celtiaid, ond muriau syth a chorneli sgwâr fyddai'r Rhufeiniaid yn eu hadeiladu.

Y prif lwythau Celtaidd yng Nghymru yn y cyfnod Rhufeinig a'r prif ganolfannau Rhufeinig

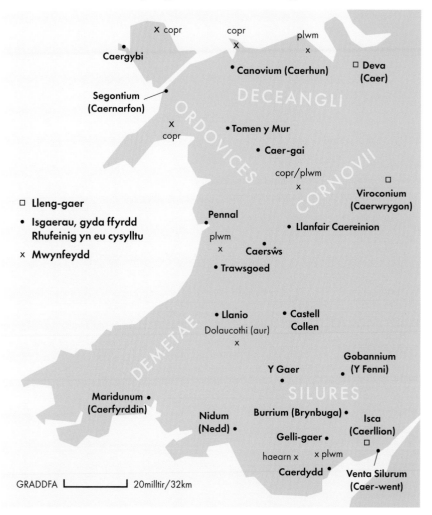

X copr

copr

plwm

Caergybi

X

x

Canovium (Caerhun)

□ Deva (Caer)

DECEANGLI

Segontium (Caernarfon)

ORDOVICES

X copr

Tomen y Mur

Caer-gai

copr/plwm

x

CORNOVII

Viroconium (Caerwrygon) □

□ Lleng-gaer

Pennal

Llanfair Caereinion

• Isgaerau, gyda ffyrdd Rhufeinig yn eu cysylltu

plwm

x Mwynfeydd

x   Caersŵs

Trawsgoed

DEMETAE

Llanio

Dolaucothi (aur)

x

Castell Collen

Gobannium (Y Fenni)

Y Gaer

SILURES

Maridunum (Caerfyrddin)

Nidum (Nedd) •

Burrium (Brynbuga) •

Isca (Caerllion) □

Gelli-gaer •

haearn x   x plwm

Caerdydd •

Venta Silurum (Caer-went)

GRADDFA |_____| 20milltir/32km

Maen yn nodi bedd un o'r Ordoficiaid ym Mhenbryn, Ceredigion

Hanes dau o'r Celtiaid

Caradog

Yn y dyddiau cynnar pan ddechreuodd y Rhufeiniaid ymosod ar Brydain, Caradog (Caratacus i'r Rhufeiniaid) oedd y brenin dros ran fawr o dde Prydain. Cafodd Caradog sawl buddugoliaeth yn erbyn y Rhufeiniaid, a dyna oedd esgus yr ymerawdwr Claudius dros ymosod ar y wlad yn OC 43. Er i Caradog lwyddo i ennill sawl brwydr yn erbyn byddinoedd Rhufain, colli oedd ei hanes yn y diwedd. Ffodd i'r gorllewin, a bu'n arwain llwythau'r Silwriaid a'r Ordoficiaid cyn iddo golli'r frwydr olaf.

Fe wnaeth Caradog ffoi eto, at lwyth y Brigantes yng ngogledd Lloegr, ond y tro hwn cafodd ei fradychu i'r Rhufeiniaid gan eu brenhines, Cartimandua. Cafodd ef, ei wraig a'u plant, eu cludo'n garcharorion i Rufain. Yno, yn ôl yr hanesydd Rhufeinig Tacitus, gwnaeth Caradog araith urddasol a dewr o flaen yr Ymerawdwr. Gan ei fod mor ddewr, penderfynodd yr Ymerawdwr arbed bywyd Caradog, a'i drin gyda pharch arbennig. Cafodd Caradog a'i deulu gartref teilwng yn Rhufain – ond chawson nhw ddim mynd yn ôl adre o gwbl.

Llwyth Celtaidd y Silwriaid oedd yn byw ym Morgannwg a Gwent. Dyma argraff o sut fyddai un o'u rhyfelwyr yn edrych. Yn ôl Tacitus, un o haneswyr Rhufain, roedd eu milwyr ymysg y rhai mwyaf dewr a ffyrnig roedden nhw wedi ymladd yn eu herbyn erioed. Ymladdwyr gerila oedden nhw pan ddaeth Caradog atyn nhw ar ôl colli ei deyrnas yn y dwyrain.

Mae hanes Caradog wedi ysbrydoli sawl cenhedlaeth.
Dyma ddehongliad artist o olygfa Caradog wyneb yn wyneb â Cesar.

Caer Caradog ar ororau Cymru, un o sawl safle posib i frwydr olaf Caradog

Darlun dychmygol o Buddug a'i merched yn arwain eu byddin adeg gwrthryfel yr Iceni a'r Trinovantes yn erbyn y Rhufeiniaid yn y flwyddyn 60

Buddug

Roedd y Rhufeiniaid yn credu'n gryf fod merched a menywod o bob oedran yn eiddo i ddynion – eu tadau i ddechrau, ac yna eu gwŷr ar ôl iddyn nhw briodi. Roedd gan y Celtiaid freninesau yn ogystal â brenhinoedd, ac roedd hynny'n beth ofnadwy ac annaturiol iawn, ym marn y Rhufeiniaid. Un o'r breninesau hyn oedd Buddug (Boudica neu

Boudicca yn iaith y Celtiaid; Boadicea yn Saesneg). Roedd hi a'i gŵr yn arwain llwyth yr Iceni yn ne-ddwyrain Prydain, ac wedi derbyn cael eu rheoli gan y Rhufeiniaid. Ond pan fu farw gŵr Buddug yn OC 61, cipiodd y Rhufeiniaid hi a'i merched a'u cam-drin yn gyhoeddus. Penderfynodd Buddug ddial ar y Rhufeiniaid, ac arweiniodd ei phobl i sawl buddugoliaeth. Cipiodd a dinistrio nifer o drefi'r Rhufeiniaid, gan gynnwys Londinium (Llundain heddiw). Ond cafodd Buddug a'i phobl eu trechu yn y diwedd pan drodd y Rhufeiniaid eu holl nerth yn eu herbyn. Yn ôl un hanes, lladdodd Buddug ei hun yn hytrach na chael ei chymryd yn garcharor gan y Rhufeiniaid.

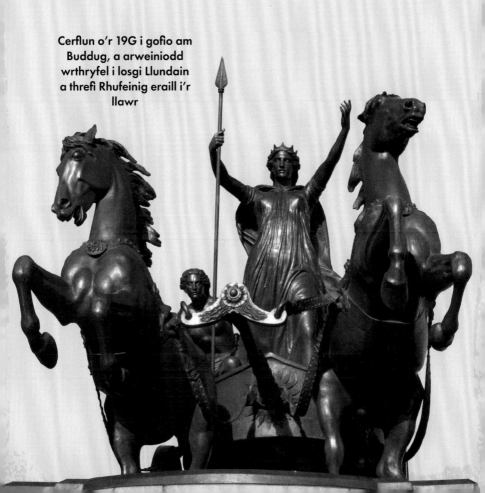

Cerflun o'r 19G i gofio am Buddug, a arweiniodd wrthryfel i losgi Llundain a threfi Rhufeinig eraill i'r llawr

Rhan o Sarn Elen yn croesi Hirfynydd i'r gogledd o Gwm Nedd

Mynedfa gynnar i waith copr yw'r tyllau ar waelod clogwyn ar y Gogarth, Llandudno

Y Rhufeiniaid yng Nghymru

Mae adfeilion rhai o gaerau, trefi a thai'r Rhufeiniaid i'w gweld o hyd. Hefyd, mae olion rhai o'u ffyrdd i'w gweld, er bod llawer ohonyn nhw wedi diflannu o dan ffyrdd sydd wedi eu hadeiladu ar ôl eu hamser nhw. Am ganrifoedd wedyn, roedd pobl yn dal i ddefnyddio ffyrdd y Rhufeiniaid. Mae rhannau o'r hen ffordd Rufeinig rhwng Aberconwy a Chaerfyrddin yn dal i gael eu galw yn Sarn Elen. Yn ôl un chwedl, roedd Elen yn wraig i'r ymerawdwr Rhufeinig Macsen Wledig. Roedd arwyneb cadarn ar y ffyrdd hyn, ac roedden nhw wedi eu draenio'n dda. Roedd y ffyrdd hyn yn dal i gael eu defnyddio i gysylltu gwahanol rannau o Gymru â'i gilydd fil o flynyddoedd yn ddiweddarach.

Mae rhai o drefi Cymru heddiw yn dilyn patrwm trefi'r Rhufeiniaid hefyd. Does dim un adeilad o waith y Rhufeiniaid i'w weld yng Nghaerfyrddin heddiw. Ond os cerddwch chi allan o neuadd y sir, sy'n sefyll ar dir pencadlys y dref Rufeinig, a mynd i brif eglwys y dref, byddwch yn dilyn ôl troed y Rhufeiniaid. Mae'r eglwys heddiw ar yr un safle â theml y Rhufeiniaid i Iau – eu prif dduw.

Bu'r Rhufeiniaid yn brysur yn agor mwynfeydd gan ddefnyddio caethweision i wneud y gwaith budr a pheryglus o dyllu a chodi'r mwynau gwerthfawr o'r ddaear. Roedd y mwynfeydd hyn i'w cael ym mhob rhan o Gymru – o waith copr y Gogarth, uwchben Llandudno, i waith haearn ar y Garth Bach, Morgannwg, ac o waith plwm Sir y Fflint i waith aur Dolaucothi yn Sir Gaerfyrddin.

Amgueddfa Rufeinig Cymru, Caerllion, sydd wedi'i hadeiladu i edrych yn debyg i deml Rufeinig

Mae ôl y Rhufeiniaid ar yr iaith Gymraeg, ac ar sawl iaith arall yn Ewrop, fel Sbaeneg a Ffrangeg. Ac mae'n debyg mai'r Rhufeiniaid ddaeth â'r llyfrau cyntaf i Gymru. Dyna sy'n esbonio'r gair 'llyfr' ei hun, o'r Lladin *librum*, a'r gair 'ysgrifen', sy'n dod o *scribendum*. Ond weithiau mae'n ddirgelwch pam ddewisodd pobl Prydain ddefnyddio geiriau o'r Lladin yn lle geiriau eu hiaith nhw. Allwn ni wneud dim ond crafu pen, oherwydd mae'r gair 'pen' ei hun, a 'llaw' a 'troed' yn eiriau o'r iaith Geltaidd. Ond o eiriau Lladin y daw 'corff', 'braich' a 'coes'. O eiriau Lladin y daeth 'pont', 'porth', 'mur' a 'ffenest' i'r Gymraeg – a channoedd o eiriau eraill. Datblygodd iaith y Celtiaid yn Gymraeg mewn trefi tebyg i Gaer-went ac yn y maestrefi bychain ar gyrion y caerau Rhufeinig, lle roedd teuluoedd y milwyr yn byw.

Copi o garreg filltir Rufeinig. Daethpwyd o hyd i'r garreg wrth Fwlch y Ddeufaen rhwng Dyffryn Conwy ac afon Menai.

EGLWYSI CRISTNOGOL CYNNAR

Paganiaid oedd y Rhufeiniaid yn wreiddiol, a bydden nhw'n addoli llawer o dduwiau gwahanol. Paganiaid hefyd oedd y bobl oedd yn byw yn y gwledydd eraill yr oedd y Rhufeiniaid wedi eu concro. Roedd y Rhufeiniaid yn barod i ganiatáu i'r bobl addoli eu duwiau eu hunain, os oedd pawb yn fodlon derbyn bod yr ymerawdwr yn un o'r duwiau ac yn aberthu iddo. Ond byddai'r Iddewon a'r Cristnogion yn gwrthod gwneud hynny, ac felly fe fydden nhw'n cael eu herlid. Yna, yn OC 313, cyhoeddodd yr ymerawdwr Cystennin ddiwedd ar yr erlid, a rhoi caniatâd i Gristnogion ac Iddewon addoli eu Duw yn gyhoeddus. Ar ddiwedd ei oes cafodd Cystennin ei fedyddio'n Gristion. O hynny allan, Cristnogaeth oedd crefydd swyddogol yr Ymerodraeth.

Mae Cristnogaeth wedi gadael ei hôl ar dir Gymru, ac ar ei hiaith a'i diwylliant hefyd. Does neb yn gwybod pryd na sut y daeth Cristnogaeth i Brydain. Ond fe fyddai wedi digwydd cyn teyrnasiad Cystennin (306–337),

Llyfr Teilo yw hwn. Roedd yn un o drysorau Eglwys Llandeilo ond cafodd ei gipio oddi yno ac mae'n cael ei gadw yng Nghaerlwytgoed yn awr. Mae amgueddfeydd Cymru'n cael caniatâd i'w fenthyg weithiau.

oherwydd mae'n debyg i dri dyn gael eu merthyru – eu lladd dros eu ffydd – dau ohonyn nhw, Iŵl ac Aaron, yng Nghaerllion.

O amser y Rhufeiniaid ymlaen, gwlad Gristnogol oedd Cymru, hyd yn oed wedi i bŵer Rhufain ddod i ben yn y 5G. Yr adeg honno, aeth pobl mewn llawer o wledydd yn Ewrop yn ôl i addoli duwiau paganaidd.

Mae'n bosib fod rhai pobl yng Nghymru wedi aros yn baganiaid hefyd. Ond, oherwydd mai dynion yr eglwys Gristnogol oedd yn cadw

Enghraifft o leoliad 'llan' cynnar – eglwys Llanfaglan ar lan y Fenai ger Caernarfon

cofnodion ac yn ysgrifennu hanes o hyn ymlaen, eu fersiwn nhw o hanes sydd wedi ei gadw i ni.

Seintiau Cymru

Ychydig iawn rydyn ni'n ei wybod am Gymru am ganrifoedd ar ôl amser y Rhufeiniaid. Roedd yn amser cythryblus, a phobl yn ymladd ymhlith ei gilydd. Hefyd, roedd paganiaid o ogledd a dwyrain Ewrop yn ymosod ar ymerodraeth Rhufain, a doedd y Rhufeiniaid ddim yn gallu ei hamddiffyn mwyach. Byddai'r ymosodwyr yn dwyn eiddo, yn cymryd caethweision ac yn llosgi cartrefi i ddechrau. Yna, bydden nhw'n dechrau sefydlu eu cartrefi eu hunain wrth iddyn nhw sylweddoli na fyddai milwyr Rhufain yn dod yn ôl. Oherwydd hyn, ychydig iawn o adeiladau o'r cyfnod hwn sydd i'w gweld heddiw.

Capel Trillo Sant, Llandrillo-yn-Rhos, a godwyd yn yr 16G i warchod y ffynnon sanctaidd

I'r canrifoedd peryglus hyn y mae llawer o seintiau Cymru yn perthyn. 'Sant' oedd yr enw ar Gristion cynnar oedd yn byw yn ôl ei grefydd a hefyd yn pregethu a helpu'r anghenus. Y seintiau hyn roddodd eu henwau i lawer o'n trefi a'n pentrefi.

Maen Beuno, eglwys Clynnog Fawr

Mae'r gair 'llan' yn golygu llecyn â wal neu berth o'i gwmpas. Gan y byddai eglwys bob amser mewn llan, daeth y gair i olygu 'safle eglwys', er bod geiriau fel 'perllan' a 'gwinllan' yn cadw'r ystyr wreiddiol. Byddai eglwys yn cael ei chysylltu â sant (neu seintiau) arbennig,

Croes Brynach Sant, Nanhyfer, o'r 9G neu'r 10G. Byddai'n sefyll yno yn amser Hywel Dda.

Eglwysi a Mynachlogydd Cynnar

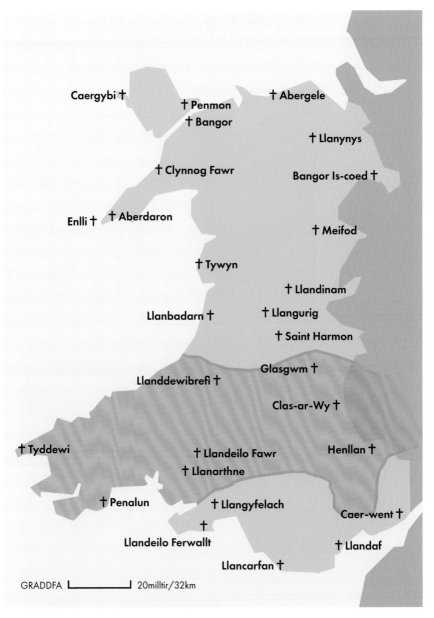

Caergybi †

† Penmon
† Bangor

† Abergele

† Llanynys

† Clynnog Fawr

Bangor Is-coed †

Enlli †   † Aberdaron

† Meifod

† Tywyn

† Llandinam

Llanbadarn †   † Llangurig

† Saint Harmon

Glasgwm †

Llanddewibrefi †

Clas-ar-Wy †

† Tyddewi

† Llandeilo Fawr
† Llanarthne

Henllan †

† Penalun   † Llangyfelach

Caer-went †

†

Llandeilo Ferwallt

† Llandaf

Llancarfan †

GRADDFA |_____| 20milltir/32km

† Prif eglwysi a mynachlogydd cynnar

Ardaloedd lle ceir eglwysi wedi'u cyflwyno i Ddewi Sant erbyn tua 1250

47

weithiau oherwydd mai'r sant yma oedd wedi sefydlu'r eglwys gyntaf yno, neu oherwydd i un o'i ddilynwyr ei sefydlu. Does dim un o'r eglwysi cynnar hyn i'w gweld heddiw, ond mae archaeolegwyr wedi darganfod olion rhai ohonyn nhw yn seiliau eglwys fwy diweddar.

Wrth edrych ar enwau trefi a phentrefi Cymru, mae'n amlwg fod rhai seintiau yn fwy poblogaidd na'i gilydd. Y sant pwysicaf yng Nghymru oedd Dewi, ac mae sawl Llanddewi yng Nghymru!

Croes felen ar gefndir du yw baner Esgobaeth Tyddewi. Daeth yn faner i'w chwifio ar achlysuron gwladgarol, fel gêm bêl-droed ryngwladol a dathliadau Gŵyl Ddewi.

Mae eglwysi i Ddewi Sant i'w gweld yn Iwerddon, Llydaw a Lloegr, yn ogystal â Chymru. Mae'r un hynod a hynafol hon yn Rhulen ym mryniau Maesyfed. Mae'n dyddio'n ôl i tua 1300. Felly byddai eglwysi cyfnod Dewi Sant ei hun yn llawer llai na hyn.

Hanes dau o'r seintiau

Dewi Sant

Mae llawer o'r hanesion am seintiau Cymru yn fwy o chwedlau nag o hanes. Ac mae'n eithaf tebyg fod llawer ohonyn nhw wedi eu seilio ar chwedlau am y duwiau paganaidd a'r mannau oedd yn sanctaidd iddyn nhw. Ond, yn achos Dewi, fel yn achos Padrig, nawddsant Iwerddon, mae mwy o dystiolaeth hanesyddol ar gael. Mae hynny'n gwneud i ni feddwl ei fod yn ddyn o gig a gwaed.

Felly, gallwn ddweud yn weddol sicr fod Dewi wedi cael ei eni tua 500, ac wedi marw tua 589, ac iddo ddod yn enwog am ei ffordd arbennig o syml o fyw. Roedd yn well ganddo fwyta llysiau a bara pan oedd cig yn fwyd pwysig iawn i bawb. Dŵr fyddai'n ei yfed, pan oedd yn well gan bawb – gan gynnwys mynachod fel Dewi – yfed cwrw neu fedd. Roedd yn ddyn gwylaidd a byddai'n treulio llawer o amser yn gweddïo a myfyrio.

Daeth yn enwog am ei fywyd sanctaidd, ac roedd pobl yn dod ato er mwyn ceisio dilyn ei ffordd o fyw. Efallai iddo sefydlu mynachlog yn Nhyddewi, ond does dim byd i'w weld yno nawr o'i amser ef. Ond mae dau beth yn dal i ddweud rhywbeth wrthon ni amdano. Un yw'r ffaith ei fod yn cael ei alw wrth ei lysenw 'Dewi' yn hytrach na'i enw 'Dafydd'. Yr ail yw'r geiriau o'i bregeth olaf sydd wedi cael eu cadw yn yr hanes amdano a gafodd ei ysgrifennu wedi ei ddyddiau ef.

Meddai Dewi: "Frodyr a chwiorydd, byddwch lawen, cadwch y ffydd, a gwnewch y pethau bychain hynny a welsoch ac a glywsoch gennyf i."

Capel Non, ger Tyddewi. Yno, yn ôl chwedl, y ganwyd Dewi Sant.

Melangell

Mae hanes Melangell yn llawer mwy ansicr. Does dim tystiolaeth bendant amdani, fel sydd am Dewi, a chwedlau yw'r hyn rydyn ni'n ei wybod amdani. Yn ôl y chwedlau hyn, roedd Melangell yn ferch i un o frenhinoedd Iwerddon. Roedd hi wedi ffoi i Gymru er mwyn osgoi priodas yr oedd ei thad wedi ei threfnu iddi.

Aeth i fyw mewn lle unig yn y mynyddoedd ym Mhowys, a bu'n byw yno'n dawel am rai blynyddoedd. Ond, un diwrnod, digwyddodd Brochfael Ysgithrog, tywysog Powys, ei chyfarfod pan oedd ef allan gyda'i gŵn yn hela sgwarnogod. Fe wnaeth un sgwarnog ddianc at Melangell, a chuddio wrth ei thraed. Gwrthododd y cŵn afael yn y sgwarnog, ac ni allai'r helwyr wneud dim. Roedd Brochfael wedi ei syfrdanu, a phenderfynodd fod gan Melangell bŵer goruwchnaturiol. Roedd yn santes, felly.

Rhoddodd Brochfael y tir o gwmpas ei chartref i Melangell, a sefydlodd hi gymuned yno i fenywod – lleianod – i fyw bywyd syml a sanctaidd. Yn ôl y chwedlau, mae eglwys Pennant Melangell yn sefyll yn yr un lle, ac yn sicr roedd yr eglwys yn ganolfan grefyddol bwysig am ganrifoedd. Mae olion creirfa odidog Melangell i'w gweld yn yr eglwys o hyd.

Eglwys Pennant Melangell yng nghanol cefn gwlad Maldwyn – mae hon eto'n llawer mwy na'r eglwys wreiddiol.

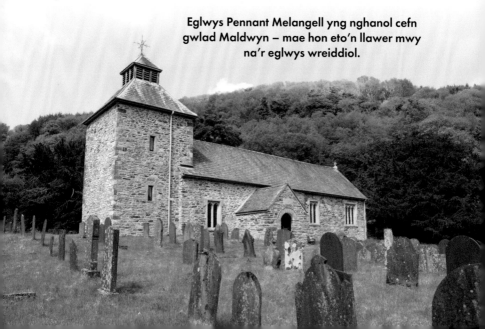

Mae olion yr eglwys Geltaidd yn frith ar draws Cymru. Ceir llawer o eglwysi i seintiau oedd yn teithio mewn cychod dros y môr o un wlad Geltaidd i'r llall i efengylu. Ac mae yna hefyd safleoedd ar gyfer mynachod a safleoedd addysgol.

Un o'r rhai pwysicaf oedd abaty a sefydlwyd gan Seiriol Sant ym Mhenmon (uchod) – mae'r adeiladau hyn wedi'u codi yn yr Oesoedd Canol ar safle oedd yn bwysig i'r Eglwys Geltaidd. Cysylltir y seintiau â ffynhonnau iacháu ym mhob plwyf yng Nghymru bron, fel ffynnon Cybi Sant yn Llangybi, Eifionydd (isod).

Rhai o'r ffiniau naturiol rhwng teyrnasoedd Cymru. Mae Llwybr Clawdd Offa ar y dde.

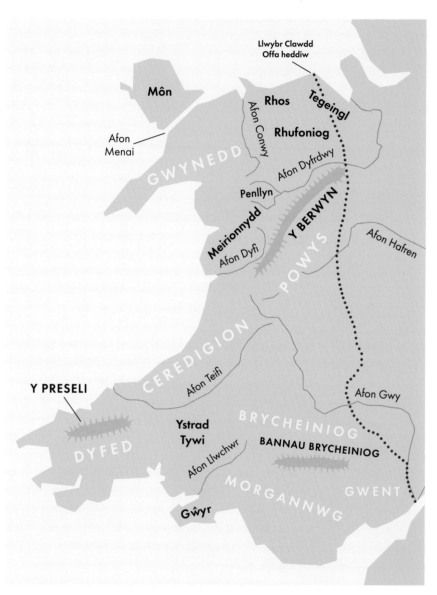

Llwybr Clawdd Offa heddiw

Môn

Rhos

Tegeingl

Afon Conwy

Rhufoniog

Afon Menai

GWYNEDD

Afon Dyfrdwy

Penllyn

Y BERWYN

Meirionnydd

Afon Dyfi

POWYS

Afon Hafren

CEREDIGION

Afon Teifi

Y PRESELI

Afon Gwy

Ystrad Tywi

BRYCHEINIOG

Afon Llwchwr

BANNAU BRYCHEINIOG

DYFED

MORGANNWG

GWENT

Gŵyr

CLAWDD OFFA A CHERRIG OGAM

Mewnfudwyr i Ewrop

Wrth i'r ymerodraeth Rufeinig wanhau, daeth mwy a mwy o bobl i fyw yn yr ardaloedd hynny oedd unwaith dan awdurdod cadarn. Mae hanes y blynyddoedd hynny yn anodd iawn i'w ddilyn. Cyfnod o ryfel ac anhrefn ydoedd. Doedd neb llawer â'r amser i eistedd i lawr i gadw cofnod o'r hyn

**Clawdd Offa ger Trefesgob;
yma mae ffin bresennol Cymru a
Lloegr yn croesi'r Clawdd.**

oedd yn digwydd, heb sôn am ysgrifennu llyfrau amdano. Mae'n debyg i lawer o lyfrau gael eu dinistrio yn y blynyddoedd hyn hefyd.

Ond, o edrych ar fapiau o Ewrop heddiw, gallwn weld enwau sy'n ein hatgoffa o'r bobl a ddaeth o'r gogledd a'r dwyrain i wasgu ar y drefn Rufeinig. Dyna Ffrainc, wedi ei henwi ar ôl llwyth y Ffranciaid, a'r Almaen o enw llwyth yr Allemani. Mae Ffrangeg wedi datblygu o'r iaith Ladin. Ond mae'r Almaeneg yn wahanol, ac yn perthyn i deulu o ieithoedd sy'n cynnwys Iseldireg a Saesneg.

O lwyth y Sacsoniaid y daeth y geiriau 'Saeson' a 'Saesneg'. Pobl oedd yn byw ar ffiniau gogleddol ymerodraeth Rhufain oedd y rhain, a daeth rhai ohonyn nhw draw i ddwyrain Prydain. Sefydlon nhw

eu cartrefi yno yn ystod y canrifoedd wedyn, ac adeiladu cloddiau ar hyd dwyrain Cymru i amddiffyn eu tiroedd. Yr enwocaf o'r rhain yw Clawdd Offa, gafodd ei enwi ar ôl un o frenhinoedd y Saeson. Rydyn ni'n aml yn sôn am 'fynd dros Glawdd Offa' wrth ddisgrifio taith i Loegr.

Mae Canu Heledd, casgliad o gerddi trist iawn, yn disgrifio'r ymladd rhwng y Cymry a'r Saeson yn y cyfnod hwn. Dyma un pennill enwog iawn o un o'r cerddi. Mae merch yn ymweld â chartref ei brawd Cynddylan, sydd wedi ei ladd mewn brwydr:

Ysgrifen Ogam ar faen yn eglwys Llanwenog, Ceredigion. Mae geiriau Lladin ac Ogam arni. Trwy gymharu'r ddwy iaith ar gerrig fel hyn, llwyddodd arbenigwyr i ddarllen Ogam am y tro cyntaf ers canrifoedd.

Ystafell Gynddylan, ys tywyll heno,
Heb dân, heb wely.
Wylaf wers, tawaf wedy.

Dyma un o bobl yr amser hwnnw yn siarad â ni heddiw.

Mewnfudwyr i Gymru

Rhwng y 5G a'r 10G, daeth pobl o wledydd eraill i fyw yng Nghymru – a gadael eu hôl ar y wlad. Oherwydd bod arfordir Cymru yn un hir iawn, nid yw'n rhyfedd fod llawer o'r olion hyn yn agos at y môr.

Daeth rhai pobl draw o Iwerddon, ac mae tirwedd Sir Benfro a Llŷn yn debyg iawn i dirwedd rhai mannau yn Iwerddon. Yr un yw'r cloddiau uchel a phatrwm y caeau. Roedd y bobl hyn hefyd yn codi beddfeini, ac mae ysgrifen ar y cerrig yn yr iaith Wyddeleg. Ond nid yw'n ysgrifen

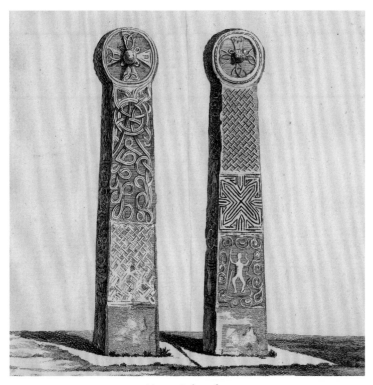

Maen Achwyfan
Llun: Argrafflun Moses Griffith yng nghyfrol Thomas Pennant,
Teithiau yng Nghymru, 1810

Creu Cymru

Tua 615 collodd y Cymry frwydr bwysig yn erbyn lluoedd
Northumbria yn ymyl Bangor Is-coed. Brwydr Caer yw'r enw arni.
Lladdwyd mynachod o Gymru ar ôl y frwydr, ac mae traddodiad
bod Maen Achwyfan wedi'i godi yn Sir y Fflint i gofio am y gyflafan
honno. O hyn ymlaen, gallwn ddechrau sôn am Gymru fel gwlad
ar wahân i Loegr. Er hynny, roedd y ffin yn newid, a llawer o bobl
o ochr Lloegr i'r ffin yn dal i siarad Cymraeg am ganrifoedd. Mae'r
enw 'Cymru' yn cyfeirio at y wlad, a'r enw 'Cymry' at bobl y wlad,
a'i ystyr yw 'pobl yn cyd-fyw yn yr un fro'.

Ar y llaw arall, enw'r Sacsoniaid – y Saeson cynnar – arnom oedd
'Welsh', sef yn wreiddiol, 'pobl wedi'u Rhufeineiddio'.

Archaeolegwyr wrth eu gwaith yn chwilio am olion y gorffennol ym Môn

Olion beddau Llychlynwyr, Llanbedr-goch, Môn

rydyn ni'n ei hadnabod. Dyma'r wyddor Ogam. Mae rhai'n credu mai iaith ddirgel oedd hon, efallai. Byddai'n bosib i chi ddweud un neges ar lafar, i bawb gael clywed, a sillafu rhywbeth hollol wahanol drwy symud eich bysedd yn erbyn ochr eich llaw.

Daeth eraill o wlad bellach i ffwrdd, gan hwylio dros y môr o Lychlyn i Gymru – ac i lawer iawn o wledydd eraill Ewrop hefyd. Gwnaeth y Llychlynwyr eu cartrefi mewn rhai mannau sy'n agos at y môr. Mae enwau Saesneg y mannau hyn yn dod o iaith y Llychlynwyr, ond ar wahân i hynny, dydyn nhw ddim wedi gadael eu hôl ar y wlad.

Stori wahanol iawn oedd hi ar arfordir dwyrain Prydain, sy'n agosach at Lychlyn. Bu rhan fawr o'r wlad rydyn ni'n galw yn Lloegr heddiw dan reolaeth y Llychlynwyr am gyfnod hir. Prif gamp Alfred Fawr, brenin de Lloegr (c. 848–899), oedd amddiffyn ei deyrnas yn erbyn y Llychlynwyr.

Mae enwau Llychlynnaidd yn frith ar hyd arfordir Cymru, er enghraifft Skokholm a Sgomer (isod). Mae'r terfyniad '-ey' yn awgrymu ynys (Anglesey/Bardsey); '-holm' yn awgrymu ynys fechan; a '-by' efallai'n dynodi tŷ/fferm (Womanby/Lamby yng Nghaerdydd).

Dinas Emrys yng nghanol mynyddoedd Eryri

Y DDRAIG GOCH

Am ganrifoedd mae'r Ddraig Goch wedi bod yn symbol o Gymru, ar darian ac ar faner. Yr hyn sy'n anarferol yw fod dreigiau'n cael eu hystyried yn greaduriaid peryglus yn y rhan fwyaf o wledydd. Ond yma yng Nghymru mae gennym ddraig sy'n ein gwarchod ac yn ein hysbrydoli! Mae hen chwedl am gastell gafodd ei godi yn Ninas Emrys. Mewn llyn mewn ogof yn y graig o dan y castell roedd draig goch yn ymladd yn erbyn draig wen. Y ddraig goch enillodd, a hedodd y ddraig wen i ffwrdd i Loegr.

Roedd brenhinoedd yn arfer cael eu galw'n "ddreigiau" a bydden nhw'n cario baneri gyda dreigiau arnynt. Efallai y cofiwch mai enw tad y Brenin Arthur oedd Uthr Pendragon. Mae Uthr yn golygu "ofnadwy"!

Pont ar Ddyfi, Machynlleth

Ffiniau sy'n gwahanu ac yn uno

Pan sefydlodd y teuluoedd cyntaf a chreu cartrefi yng Nghymru, copa'r mynyddoedd a llwybrau'r afonydd oedd yn cynnig y ffiniau naturiol i'w tiroedd. Pan ddaeth ardaloedd at ei gilydd a chreu teyrnasoedd bychain, daeth y mynyddoedd uchaf a'r afonydd mwyaf yn ffiniau.

Pan welwn fynyddoedd Bannau Brycheiniog heddiw, mae'n hawdd sylweddoli eu bod yn sefyll rhwng hen deyrnasoedd Brycheiniog a Morgannwg. Gwelwn fod llif afon Dyfi rhwng teyrnasoedd y gogledd a theyrnasoedd y de. Am ganrifoedd, afonydd Dyfrdwy a Hafren oedd yn creu'r ffiniau rhwng Cymru a Lloegr. Adeiladwyd Clawdd Offa i amddiffyn Lloegr, nid i greu ffin newydd.

Eto, mae bwlch rhwng dau fynydd, a rhyd ar afon. Gall y gelyn ddefnyddio'r mannau gwan hyn i ymosod – ac mae dywediadau fel 'sefyll yn y bwlch' ac 'amddiffyn y rhyd' yn ddarluniau byw o gyfnodau

Bwlch Maen Gwynedd ar grib mynyddoedd y Berwyn

yn hanes Cymru pan fyddai milwyr yn ymladd ar ei ffiniau. Ond drwy
fwlch a rhyd y mae gwlad yn gallu uno hefyd. Ar lan aber afon Dyfi mae
Traeth Maelgwn. Yno, yn ôl y chwedl, y cafodd Maelgwn Gwynedd ei
wneud yn frenin uwchben holl frenhinoedd Cymru, tua 530.

Mae bwlch drwy fynyddoedd y Berwyn yn cael ei farcio gan garreg
hir a'i enw yw Bwlch Maen Gwynedd. Mae'n bosib bod Nest, merch
Cadell, brenin Powys, wedi teithio ar hyd y ffordd hon i briodi Merfyn
Frych, brenin Gwynedd. Daeth eu mab, Rhodri Mawr, yn frenin ar
Wynedd a Phowys tua 855.

Nid yw'r ffin weithiau'n ddim ond marc ysgafn ar y
tir y mae'n bosib camu drosto. Mewn ambell le, dim
ond ffos fechan rhwng dwy ardal ydyw. Mae sawl lle
o'r enw 'Ffos-y-ffin' a 'Ffinant' yng Nghymru. Waeth
pa mor fychan ydyw, mae ystyr i bob ffin gan ei bod
yn dynodi cynefin. Mae ffiniau'n gallu creu teimlad o
berthyn ac o hunaniaeth, ond yn gallu ein gwahanu
yn ogystal. Mae defnyddio enwau afonydd neu
fynyddoedd fel enwau personol yn hen arfer Cymreig,
fel yn enw'r chwaraewr rygbi o Gwm Rhymni, Berwyn
Jones (1940–2007), ac Ann Clwyd, a fu'n Aelod
Seneddol yn San Steffan, 1984–2019.

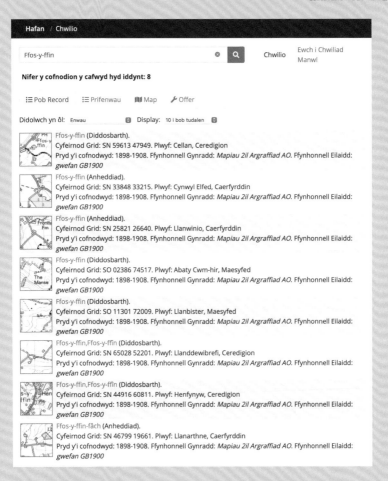

Gallwch ddysgu mwy am enwau lleoedd a darganfod cysylltiadau
lleoedd â'i gilydd ar wefan Comisiwn Brenhinol Henebion Cymru
– enwaulleoeddhanesyddol.cbhc.gov.uk – a defnyddio'r ffenest i
chwilio. Mae hanes neu chwedl y tu ôl i sawl enw.

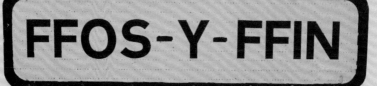

Pentref yng Ngheredigion

Roedd tynnu gwallt yn drosedd yng Nghyfraith Hywel. Fel mewn cyfreithiau eraill o'r un cyfnod ledled Ewrop, mae'r pwyslais yn yr hen gyfreithiau Cymreig hyn ar gymodi ac iawndal o fewn teuluoedd a rhwng teuluoedd yn dilyn ffrae neu drosedd. Câi hawliau gwragedd eu lle hefyd yng Nghyfraith Hywel.

Cyfraith Hywel

Cyfnod o ymladd diddiwedd trwy Ewrop gyfan oedd y cyfnod ar ôl i'r Ymerodraeth Rufeinig ddod i ben. Ac oherwydd hynny, efallai, roedd canmol mawr ar unrhyw frenin fedrai gadw heddwch yn ei wlad. Un o'r rheini oedd Hywel ap Cadell (880–948). Brenin de-orllewin Cymru yn unig oedd Hywel i ddechrau, ond llwyddodd i gael brenhinoedd eraill Cymru i dderbyn ei awdurdod. Enillodd glod am fynd ati i osod trefn ar y cyfreithiau a'r arferion gwahanol oedd i'w cael yng Nghymru ar y pryd. Gwnaeth y brenin Alfred waith tebyg yn ei deyrnas yn Lloegr, a'r ymerawdwr Siarlymaen hefyd yn ei ymerodraeth, oedd yn cynnwys Ffrainc a'r Almaen. Mae llyfrau cyfraith Iwerddon yn debyg iawn hefyd.

Ond efallai nad oedd y cyfreithiau hyn i gyd yn disgrifio bywyd fel ag yr oedd, ond yn hytrach yn ei ddisgrifio fel y dylai fod. Beth bynnag am hynny, cyfreithiau Hywel Dda oedd sail y drefn yng Nghymru am ganrifoedd. O hyn ymlaen, wrth i ni DDYFALU am ffordd pobl Cymru o fyw, byddwn yn dibynnu llawer ar wybodaeth o'r cyfreithiau hyn.

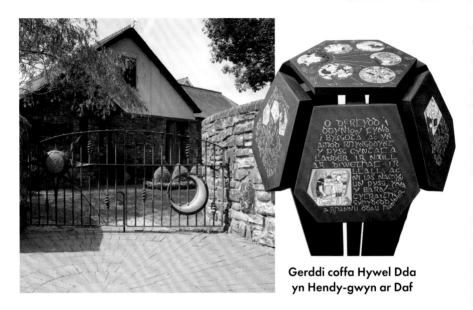

Gerddi coffa Hywel Dda
yn Hendy-gwyn ar Daf

Dirgelwch yn y Tir

Pwy yw'r milwr bach hwn?

Rhaid dyfalu llawer wrth chwilio am y gorffennol. Mae'r garreg hon yn Eglwysilan, ar y mynydd rhwng Pontypridd a Chaerffili. Does neb yn gwybod dim amdani – dim ond ei bod yn hen iawn, ac wedi ei darganfod yn 1904, wedi ei chladdu yn y pridd. Mae rhai'n meddwl ei bod yn dangos milwr o gyfnod Hywel Dda, eraill mai milwr o gyfnod Gruffudd ap Cynan ydyw. Ond does dim symbol Cristnogol arni o gwbl, ac mae'n bosib fod y milwr bychan hwn yn perthyn i'r cyfnod cyn Cristnogaeth.

Cerflun o filwr yn
Eglwysilan, Caerffili

63

| 1000 | 1100 | 1200 | 1300 |

| Tomen a beili | Castell Cymreig | Glyndŵr |
| 1070 | 1170 | 1404 |

| 1000 | 1100 | 1200 | 1300 |

Dyddiadau

Rhan 2: llinell amser

Cwestiynau

- Sut rai oedd cestyll cyntaf y Normaniaid?
- Sut oedd tywysogion Cymru'n byw?
- Pam fod Glyndŵr mor bwysig i'r Cymry?

| 1500 | 1600 | 1700 | 1800 |

Beibl Cymraeg
1588

Plastai'r bonedd
tua 1650

Caethwasiaeth
tua 1750

| 1500 | 1600 | 1700 | 1800 |

- Pam fod cyfieithu'r Beibl i'r Gymraeg mor allweddol?
- Pa mor foethus oedd tai'r bonedd yng Nghymru?
- Beth oedd rhan Cymru yn y fasnach gaethweision?

Teyrnasoedd Cymru tua 1000

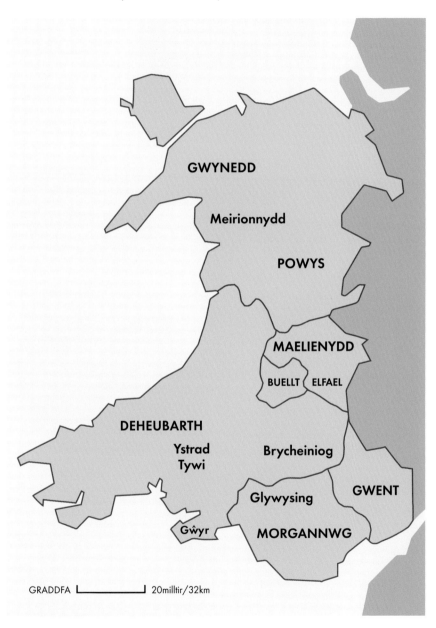

GWYNEDD

Meirionnydd

POWYS

MAELIENYDD

BUELLT   ELFAEL

DEHEUBARTH

Ystrad
Tywi

Brycheiniog

Glywysing

GWENT

Gŵyr

MORGANNWG

GRADDFA ⌐────────────┐ 20milltir/32km

Rhannu ac uno teyrnasoedd Cymru

Erbyn tua'r flwyddyn 1000 roedd pum prif deyrnas wedi datblygu yng Nghymru: Gwynedd, Powys, Deheubarth, Gwent a Morgannwg. Byddai eu ffiniau'n dibynnu ar allu'r tywysog i gadw gafael ar ei dir ei hun – ac i gipio tir oddi wrth y tywysogion o'i gwmpas. Ar ben hynny, pan fyddai brenin yn marw, roedd yn arferiad yng Nghymru i rannu ei dir rhwng ei feibion. Nid yw'n rhyfedd fod maint pob teyrnas yn amrywio'n fawr. Ond mae enwau rhai o'r hen deyrnasoedd ar rannau o Gymru hyd heddiw.

Eto, roedd arwyddion y gallai Cymru uno ar draws ffiniau'r teyrnasoedd hefyd. Llwyddodd un arweinydd cryf o'r enw Gruffudd ap Llywelyn i uno Cymru rhwng 1057 ac 1063.

Cerflun yng nghanol mynyddoedd Eryri i ddathlu brwydr hir y Cymry i warchod a chadw gafael ar eu tiroedd

Y Castell Gwyn ym Mynwy – un o gestyll Normanaidd dwyrain Cymru

Y Normaniaid yng Nghymru

Northmyn, 'dynion y gogledd', oedd un enw ar y Llychlynwyr. Pan sefydlodd rhai ohonyn nhw gartrefi yng ngogledd-orllewin Ffrainc, cafodd yr enw 'Normandi' ei roi ar yr ardal honno. O 1066 ymlaen, dechreuodd y Normaniaid, pobl Normandi, chwarae rhan amlwg yn hanes ynysoedd Prydain. Wedi i frenin Lloegr farw heb etifedd, glaniodd Dug Normandi – Gwilym Goncwerwr – efo byddin gref ac ennill brwydr Hastings yn ne Lloegr. Cafodd ei goroni'n frenin ar ddydd Nadolig 1066.

Llwyddodd y Normaniaid i dawelu Lloegr mewn blwyddyn, a dechreuon nhw ymosod ar Gymru yn yr un cyfnod. Ond cymerodd dros ddau gan mlynedd iddyn nhw oresgyn Cymru. Fe gawson nhw drafferth fawr i oresgyn Iwerddon, a lwyddon nhw ddim i oresgyn yr Alban o gwbl.

Felly, blynyddoedd o ymladd diddiwedd oedd y canrifoedd ar ôl 1066. Weithiau, y Normaniaid oedd yn ymosod, ond roedd brwydrau hefyd rhwng y Normaniaid a'i gilydd, rhwng y Cymry a'i gilydd, a rhwng rhai o'r Cymry a'r Normaniaid yn erbyn rhai eraill o'r Normaniaid a'r Cymry ... Gwelodd Cymru flynyddoedd creulon ofnadwy.

Cestyll cynnar Cymru ac ymosodiadau'r Normaniaid tua 1100

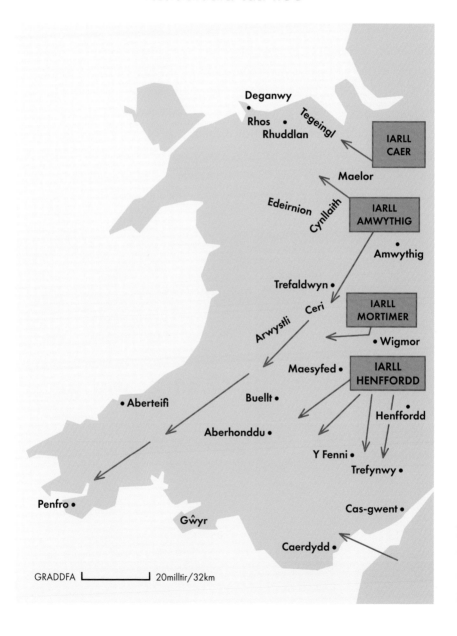

Deganwy

Rhos

Rhuddlan

Tegeingl

IARLL CAER

Maelor

Edeirnion

Cynllaith

IARLL AMWYTHIG

Amwythig

Trefaldwyn

Ceri

Arwystli

IARLL MORTIMER

Wigmor

Maesyfed

IARLL HENFFORDD

Buellt

Henffordd

Aberteifi

Aberhonddu

Y Fenni

Trefynwy

Penfro

Gŵyr

Cas-gwent

Caerdydd

GRADDFA |⎯⎯⎯⎯⎯⎯| 20milltir/32km

69

Tywysogion Cymru

Bu llawer o dywysogion – a thywysogesau hefyd – yn arwain y Cymry, ac mae hanesion amdanyn nhw i'w darganfod ym mhob rhan o'r wlad. Ond ymhen 200 mlynedd, roedd tywysogion Gwynedd wedi llwyddo i uno llawer o Gymru yn un deyrnas. Mae'r tywysog Llywelyn ap Iorwerth yn cael ei alw'n Llywelyn Fawr oherwydd ei ran yn hynny. Enw gwahanol sy'n disgrifio ei ŵyr, Llywelyn ap Gruffudd. Llywelyn ein Llyw Olaf yw'r enw arno ef, oherwydd ef oedd yr olaf o dywysogion annibynnol Cymru. Cafodd ei ladd ger Cilmeri, Llanfair-ym-Muallt, yn 1282. Aeth y Normaniaid â'i unig blentyn, y dywysoges Gwenllïan, i leiandy yn nwyrain Lloegr, ac yno y bu farw. Ni welodd hi Gymru eto. Yn fuan wedyn cafodd Cymru gyfan ei choncro gan frenin Lloegr, Edward I.

Cofeb i'r Arglwydd Rhys, un o dywysogion y Deheubarth, yn Aberteifi (uchod) a chofeb i Lywelyn Fawr yng Nghonwy (dde)

Cofeb i Gwenllïan, a arweiniodd fyddin o Gymry yn erbyn Normaniaid Cydweli yn 1136, a maen coffa Llywelyn ap Gruffudd yng Nghilmeri. Cofebau a godwyd yn ystod yr 20G yw'r rhain.

Yn 1993 cododd pobl o Gymru y garreg goffa hon yn Abaty Sempringham yn Swydd Lincoln, yn nwyrain Lloegr. Yn yr abaty hwnnw bu'r dwysoges Gwenllïan yn byw fel lleian hyd ddiwedd ei hoes. Faint oedd hi'n ei wybod am ei hanes ei hun, tybed? Er bod y cofebau hyn yn fodern, maen nhw'n debyg i'r cerrig beddau a godwyd gan bobl yr Oesoedd Cynnar. Maen nhw'n dangos hefyd y sylw sy'n cael ei roi heddiw i hanes Cymru – ac i ran menywod yn yr hanes hwnnw.

Cestyll y Normaniaid

Mae'r Normaniaid wedi gadael eu hôl ar bob rhan o Gymru. Nhw oedd y rhai cyntaf i godi rhai o'r adeiladau enwocaf yn ein gwlad – y cestyll.

Y castell symlaf a hawsaf i'w godi oedd castell tomen a beili. Darn o dir gwastad wedi'i amddiffyn gan ffos a chlawdd oedd y 'beili'. Byddai pridd o'r ffos yn cael ei godi yn domen a dyma'r 'motte' yn Saesneg. Wedyn, byddai'n rhaid cwympo coed i godi ffens o gwmpas y ffos ac adeiladu tŵr ar ben y domen. Gwaith gan ddefnyddio rhaw a llif oedd y cyfan roedd ei angen.

Byddai trigolion yr ardal oedd wedi ei meddiannu gan y Normaniaid yn cael eu gorfodi i godi'r castell. Yna, roedd yn rhaid iddyn nhw weithio a rhoi cyfran o gynnyrch eu caeau i'w goresgynwyr. Weithiau, byddai'r castell pren cyntaf yn cael ei droi'n gastell cryfach o gerrig, ond ddigwyddodd hynny ddim bob tro. Mae bron i 500 o gestyll tomen a beili yng Nghymru. Yn aml iawn, dim ond y domen o bridd sy'n dangos bod castell yno unwaith – tua 900 o flynyddoedd yn ôl.

Un o'r cestyll cyntaf yng Nghymru i gael ei adeiladu o gerrig oedd tŵr castell Cas-gwent, a godwyd yn 1070. Dysgodd y Cymry hefyd i adeiladu cestyll, fel Castell Dolbadarn a Chastell Dinefwr.

Olion tomen Normanaidd fawr yng Nghastell-paen, Maesyfed (chwith), a thomen a beili a gafodd eu gwneud yn fwy cadarn yn ddiweddarach drwy godi tŵr carreg ar y domen: castell Cas-wis, Penfro (dde)

Mae'r llun uchod yn rhoi argraff o sut – efallai – roedd castell tomen a beili Caerdydd yn edrych yn y 12G. Mae'r llun isod yn dangos y castell heddiw, gyda'i dŵr o gerrig. Byddai ffens uchel o foncyffion coed wedi cael ei chodi o gwmpas beili'r castell cyntaf i amddiffyn y beili a'r domen. Yn y beili byddai'r stablau, y gweithdai, y ceginau ac ati. Roedd popeth ar gael yn lleol ar gyfer adeiladu'r cestyll cyntaf, a byddai'n cymryd tua deg diwrnod i'w hadeiladu. Mae'n debyg mai'r bobl oedd wedi cael eu concro fyddai'n cael eu gorfodi i godi'r cestyll hyn.

Ymhen amser, byddai'r safleoedd pwysicaf – fel hwn yng Nghaerdydd – yn cael eu gwneud yn fwy cadarn ac yn fwy parhaol drwy adeiladu waliau a thŵr cerrig. Yn y tŵr ar ben y domen – y man mwyaf diogel yn y castell – yr oedd yr iarll a'i deulu'n byw.

Tân oedd prif arf y Cymry wrth ymosod ar y cestyll tomen a beili cynnar. Gan mai pren oedd y prif ddeunydd adeiladu, roedd rhoi'r cestyll hyn ar dân yn ddull effeithiol o gael gwared ar y gelyn. Pan drodd y Normaniaid at godi waliau a thyrau carreg, roedd yn fwy anodd ymosod arnyn nhw – ond nid yn amhosib.

Mae hanes anturus yn gysylltiedig â chastell Caerdydd. Yn 1158, yn ôl Gerallt Gymro, llwyddodd tywysog Senghennydd, Ifor ap Meurig ("Ifor Bach"), a'i ddilynwyr i fynd i mewn i'r castell liw nos. Roedd William Fitz Robert, arglwydd Normanaidd Caerdydd, wedi cymryd darn o dir oddi wrth Ifor. Cipiodd Ifor yr arglwydd, ei wraig a'u mab, a'u cadw yn y bryniau nes bod y Norman yn rhoi ei dir yn ôl i Ifor!

Dechreuodd y gwaith o godi castell carreg cyntaf y Normaniaid yng Nghymru yn 1067 – castell Cas-gwent ar glogwyn ar ochr Cymru i afon Gwy.

O tua 1200 ymlaen, collodd Normaniaid Lloegr eu gafael ar lawer o'u tiroedd yn Ffrainc. Er mai Ffrangeg oedd eu prif iaith o hyd, dechreuon nhw alw'u hunain yn Saeson. Yng Nghymru, Cymraeg oedd y brif iaith. Yr adeg hon roedd llawer o frwydro rhwng y brenin yn Llundain a'r Ffrancwyr. Roedd hyn yn berthnasol iawn i'r Cymry gan eu bod yn medru manteisio ar 'absenoldeb' y brenin ar ryw ymgyrch yn Ffrainc i ennill eu tiroedd eu hunain yn ôl.

Castell Dolbadarn yng nghanol cadernid Gwynedd

Ar ôl i Llywelyn ein Llyw Olaf gael ei ladd, meddiannodd Edward I ei deyrnas. Adeiladodd nifer o gestyll mawr a chryf i sicrhau ei afael ar Wynedd. Maen nhw i'w gweld o hyd, a heddiw fe allwch

Castell Carreg Cennen ar graig yn gwarchod y tiroedd o amgylch Dyffryn Tywi

chi fynd i mewn ac allan ohonyn nhw heb ofni. Gallwch gerdded o'u cwmpas, ac edrych allan o'u tyrau dros y wlad heb feddwl am ddiogelu eich hun mewn rhyfel. Ond mae nifer y cestyll, a maint cestyll fel rhai Harlech, Rhuddlan a Chaernarfon, yn dal i ddangos i ni heddiw gymaint o ofn oedd gan frenhinoedd Lloegr o ryfel yng Nghymru.

Castell Caerffili yw'r castell mwyaf yng Nghymru – ac mae'n un o'r rhai mwyaf yn Ewrop. Cafodd ei godi gan yr Iarll Gilbert de Clare, oedd yn ofni dylanwad Llywelyn ap Gruffudd ar Gymry Morgannwg.

Amddiffyn eu hunain yn erbyn gelynion oedd yn ymosod arnyn nhw fu hanes pobl Cymru am gyfnodau maith. Arf mwyaf pwerus y Cymry yn erbyn y Normaniaid oedd y bwa hir. Ym Morgannwg a Gwent – lle gwnaeth y Normaniaid ymosod gyntaf – y cafodd yr arf hwnnw ei ddatblygu. Fe newidiodd hanes brwydrau yn y canrifoedd a ddilynodd. Gallai saethwr gyda'i fwa hir drywanu marchog mewn arfwisg 150 metr i ffwrdd. Ac roedd blaenau'r saethau'n mynd drwy ddrysau derw 10 cm o drwch ar byrth y cestyll.

Cymru 1282-1295

Y Fflint

Biwmares Conwy Rhuddlan

Llys Aberffraw •

Llys Rhosyr •

Llys Abergwyngregyn

Penarlâg • O Caer

• Rhuthun

Caernarfon

• Dinas Brân

Cricieth □

Y Waun O

□ Harlech

O

Llys Mathrafal • Amwythig

• Llysoedd/cestyll
tywysogion Cymreig

Dolforwyn •

Trefaldwyn □

□ Cestyll Edward I

□ Aberystwyth

O Prif Ganolfan
Llywodraeth

O

Llwydlo

Buellt
□

O Aberteifi

O

Henffordd

Aberhonddu

• Dinefwr

O

O Caerfyrddin

Y Fenni

Hwlffordd
O

San Clêr O

O Cydweli

O Penfro

Abertawe
O

Caerdydd O

GRADDFA ├────────┤ 20milltir/32km

Cestyll Rhuddlan, Caernarfon a Biwmares

Tywysog a thywysoges

Gruffudd ap Cynan (c. 1055-1137)

Rydyn ni'n gwybod mwy am Gruffudd ap Cynan nag unrhyw un arall o dywysogion Cymru. Cafodd hanes ei fywyd ei ysgrifennu, ac mae rhai o'r storïau ynddo'n rhoi'r argraff mai Gruffudd ap Cynan ei hun sydd wedi adrodd yr hanes. Er enghraifft, mae'n dweud ei fod yn ddiog iawn pan oedd yn fachgen, ac yn ceisio osgoi gwaith ysgol – sef dysgu ymladd. Dyna oedd prif waith pob dyn ifanc bonheddig yn yr Oesoedd Canol ac am amser maith ar ôl hynny. Ond un diwrnod, wrth wylio'r cawl yn berwi yn y crochan, gwelodd un darn o gig

Safle un o frwydrau Gruffudd ar ôl iddo ddod yn ôl o Iwerddon: Bron-yr-erw ar lethrau mynydd Bwlch Mawr rhwng Arfon ac Eifionydd.

Tri o elynion mawr Gruffudd ap Cynan oedd Huw Fras, arglwydd Normanaidd Caer; Roger, arglwydd Amwythig, a Robert o Ruddlan, oedd â'i gastell ar y domen hon wrth afon Clwyd.

oedd yn mynnu dod i wyneb y cawl. Penderfynodd y byddai fel y darn cig – yn codi i'r brig, beth bynnag fyddai'n digwydd.

Doedd bywyd Gruffudd ddim yn un tawel, ac roedd yn rhaid iddo weithio'n galed i lwyddo. Cafodd ei fagu yn Iwerddon, ac yna bu'n ymladd yn erbyn aelodau o'i deulu ei hun i geisio rheoli Gwynedd. Pan enillodd frwydr Mynydd Carn yn 1081, roedd Gwynedd yn ddiogel ganddo. Ond yna cafodd ei gipio gan y Normaniaid oedd newydd sefydlu eu hunain yng Nghaer. Treuliodd Gruffudd o leiaf ddeuddeg mlynedd yng ngharchar Caer cyn iddo lwyddo i ddianc yn 1094 a meddiannu Gwynedd am yr ail dro. Daeth y Normaniaid â byddin i'w erlid, ond fe enillodd frwydr yn eu herbyn ar lannau afon Menai – gyda chymorth y Llychlynwyr. O hynny ymlaen cafodd flynyddoedd eithaf tawel, ac etifeddodd ei fab Owain deyrnas unedig heb neb yn gwrthwynebu.

Nest ferch Rhys ap Tewdwr
(tua 1085 - rywbryd ar ôl 1136)

Does dim llawer o sôn am
ferched na menywod yn y
croniclau sy'n rhoi hanes yr
Oesoedd Canol i ni. Dynion
oedd yn ysgrifennu'r hanes, a
dynion oedd yn bwysig. Weithiau
dydyn ni ddim hyd yn oed yn
gwybod enw mam tywysog,
a fyddai neb yn meddwl nodi
dyddiad marw menyw. Mae

Castell Penfro

hynny'n wir am y dywysoges Nest – does neb yn gwybod pryd y bu hi
farw. Ond, oherwydd beth ddigwyddodd iddi, rydyn ni'n gwybod mwy
amdani hi na'r rhan fwyaf o dywysogesau'r cyfnod hwn. Wnaeth hi ddim
llwyddo i orchfygu anawsterau fel y gwnaeth Gruffudd ap Cynan, a
doedd dim rheolaeth ganddi dros ei bywyd ei hun.

Roedd Nest yn ferch i Rhys ap Tewdwr, yr olaf o dywysogion
annibynnol Deheubarth. Lladdwyd ei thad mewn brwydr yn erbyn y
Normaniaid yn 1093. Cipiodd y Normaniaid ddau o frodyr Nest a'u
lladd. A chafodd Nest ei chludo i lys y Brenin Gwilym Goch fel carcharor
anrhydeddus. Tra oedd hi yno cafodd blentyn gan Henri, brawd y
brenin. Yna, fe drefnodd y brenin fod Nest yn cael ei rhoi yn wraig i un
o'i ffrindiau, Gerallt o Windsor. Roedd y brenin wedi rhoi Penfro dan ofal
Gerallt, ac aeth Nest i fyw yno gyda'i gŵr yn 1105. Cafodd hi a Gerallt o
leiaf bump o blant, ond yn 1109 cafodd Nest ei chipio oddi wrth ei theulu
gan ei chefnder, Owain ap Cadwgan o Bowys. Yn y diwedd, bu'n rhaid i
Owain roi Nest yn ôl i'w gŵr.

Pan fu farw Gerallt, trefnodd meibion Nest iddi briodi Steffan, cwnstabl
castell Aberteifi, ac mae'n bosib iddi briodi pumed gŵr hefyd. Ond
mae'n debyg na chafodd Nest lawer o lais yn y penderfyniadau oedd yn
cael eu gwneud amdani.

Yn 1188 teithiodd gŵr o'r enw Gerallt drwy Gymru mewn ymdrech i godi byddin i ymladd yn erbyn y Mwslimiaid yng Nghaersalem. Roedd yn ŵyr i'r dywysoges Nest, ac felly'n perthyn i lawer o dywysogion Cymru ac arglwyddi Normanaidd.

Er ein bod ni'n ei alw'n 'Gerallt Gymro', roedd yn meddwl amdano'i hun fel un o'r Normaniaid. Ysgrifennodd hanes ei daith trwy Gymru yn rhannol er mwyn helpu'r Normaniaid i drechu'r Cymry. Ond mae'n rhoi manylion difyr i ni am ffordd y Cymry o fyw – ac o lanhau eu dannedd! Yn ystod y daith hefyd casglodd hanesion a straeon sydd heb

Eglwys Gadeiriol Tyddewi

eu cofnodi yn unman arall. Dysgwn mor anodd oedd teithio mewn ambell ardal, yn enwedig croesi afonydd. Dyma'r daith gynharaf drwy Gymru rydyn ni'n gallu darllen amdani heddiw, sy'n ei wneud yn hanes gwerthfawr iawn.

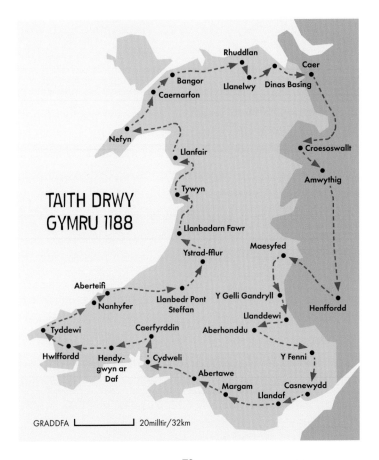

TAITH DRWY GYMRU 1188

Rhuddlan
Caer
Bangor
Llanelwy
Dinas Basing
Caernarfon
Nefyn
Croesoswallt
Llanfair
Amwythig
Tywyn
Llanbadarn Fawr
Maesyfed
Ystrad-fflur
Aberteifi
Llanbedr Pont Steffan
Y Gelli Gandryll
Nanhyfer
Henffordd
Llanddewi
Tyddewi
Caerfyrddin
Aberhonddu
Hwlffordd
Hendy-gwyn ar Daf
Cydweli
Y Fenni
Abertawe
Casnewydd
Margam
Llandaf

GRADDFA   20milltir/32km

Mae Llys Rhosyr, un o lysoedd Llywelyn Fawr, wedi ei ail-greu yn Sain Ffagan, Amgueddfa Werin Cymru. Cafodd tystiolaeth archaeolegol o'r safle ym Môn ei defnyddio fel sail i'r gwaith, a chafodd yr Amgueddfa gymorth arbenigwyr ar hanes, pensaernïaeth a llenyddiaeth Cymru hefyd.

Bywyd y Tywysogion

Roedd gan bob rhan o Gymru ei theulu brenhinol felly, ac roedd chwedlau a storïau am bob un teulu, o Fôn i Fynwy. Mae hanesion am dywysogesau dewr, fel Gwenllïan o'r Deheubarth; am dywysogion mentrus, fel Ifor Bach o Senghennydd; am dywysogion oedd hefyd yn feirdd, fel Hywel ab Owain Gwynedd. Ond peidiwch â disgwyl cael gwybod llawer am neb ond tywysogion yn y cyfnod hwn. Dim ond hanes dynion pwysig oedd yn cael ei gofnodi. Mae'n siŵr fod llawer o storïau difyr am bobl gyffredin hefyd. Ond yn y dyddiau hynny doedd neb yn meddwl ei bod yn werth ysgrifennu'r storïau yma.

Peidiwch â meddwl chwaith fod pob tywysog yng Nghymru yn byw mewn castell mawr ac yn gwisgo gwisg arfau a dillad lliwgar. Adeiladau o bren oedd llysoedd y tywysogion hyn ar y dechrau, a byddai ganddyn nhw sawl llys ar draws eu teyrnas. Fe fydden nhw'n teithio o un llys i'r llall yn ystod y flwyddyn, a hynny am nifer o resymau ymarferol.

Yn gyntaf, roedd disgwyl i bob tywysog gadw trefn yn ei deyrnas. Roedd yn rhaid iddo gynnal llys barn i drafod achosion o dorri'r gyfraith, a datrys cwerylon rhwng teuluoedd. Roedd trigolion pob ardal yn talu rhent o fwyd a gwaith i'w rheolwyr, a rhaid oedd arolygu'r gwaith – a bwyta'r bwyd hefyd! Doedd dim tuniau na rhewgell yn y dyddiau hynny. Yn olaf, roedd yn rhaid glanhau pob adeilad. Byddai pob tywysog yn teithio gyda nifer o bobl yn gwmni iddo, ac ym mhob oes mae llawer o bobl yn gadael llawer o sbwriel ar eu hôl. Doedd pobl ddim yn ymolchi nac yn golchi eu dillad yn aml, a dim ond gan bobl bwysig yr oedd toiledau!

Ond roedd yna
doiledau yn y cestyll.
Byddai ystafell fach
yn cael ei hadeiladu
allan o ran uchaf
wal y castell, fel bod
popeth o'r toiled yn
disgyn i'r ffos. Mae
rhes ohonyn nhw yn
waliau Conwy – a
does dim angen talu
am fynd mewn i'r
castell i'w gweld.

Abaty Glyn-y-groes fel mae'n edrych heddiw (uchod) a darlun (isod) yn creu
argraff o sut y byddai Abaty Tyndyrn wedi edrych yn yr Oesoedd Canol

Eglwysi a mynachlogydd

Nid cestyll yw'r unig adeiladau Normanaidd
sydd i'w gweld yng Nghymru. Mae rhannau
hynaf llawer o eglwysi Cymru yn perthyn i'r
cyfnod hwn hefyd. Yr eglwys fyddai'r adeilad
mwyaf mewn pentref, ac yn ganolbwynt bywyd
y bobl hefyd. Byddai'r tŵr yn eu diogelu adeg
rhyfel, a byddai ffeiriau a gwyliau'r eglwys yn
gyfle i bobl fwynhau gyda'i gilydd. Roedd crefydd yn bwysig iawn i bobl
bryd hynny, ac roedd pobl yn credu bod Duw yn cael ei blesio gan roddion.
Felly, byddai pobl gyfoethog yn rhoi tiroedd eang i'r eglwys. Byddai'r bobl
oedd yn byw yno yn talu eu rhenti i'r eglwys, nid i'r arglwydd lleol.

Roedd llawer o bobl yn y cyfnod hwn yn dewis rhoi eu bywydau i Dduw.
Bydden nhw'n treulio pob dydd o'u bywydau'n ei wasanaethu, drwy
weddïo neu'n gwneud gwaith arall yn enw Duw, fel gofalu am y tlodion a'r
cleifion, neu gopïo llyfrau crefyddol. Yr enw ar ddynion felly yw mynachod,
a'r enw ar ferched o'r fath yw lleianod. Mae adfeilion mynachlogydd fel
Tyndyrn, Glyn-y-groes ac Ystrad-fflur yn dangos i ni mor bwysig oedd
crefydd yn y cyfnod hwn, ac mor gyfoethog oedd yr eglwysi.

82

Abatai a Mynachlogydd

Aberconwy

Dinas Basing

Esgobaeth BANGOR

Esgobaeth LLANELWY

Glyn-y-groes

Cymer

Ystrad Marchell

Llanllugan

Ystrad-fflur

Cwm-hir

Llanllŷr

Esgobaeth TYDDEWI

Hendy-gwyn

Llanddewi Nant Hodni

Esgobaeth LLANDAF

Tyndyrn

Nedd

Llantarnam

Margam

GRADDFA ⌇ 20milltir/32km

◎ Abatai'r Sistersiaid
† Abatai'r Benedictiaid
• Mynachlogydd a phriordai eraill

Priordy Llanddewi Nant Hodni mewn ardal 'anghysbell', fynyddig

Gall siapiau caeau ddweud llawer wrthon ni am hen batrymau ffermio. Aredig lleiniau hir a chul o dir oedd yr arfer yn yr Oesoedd Canol. Mae caeau hir yn Uwchmynydd, ger Aberdaron, yn dangos hynny'n glir. Mae'n werth edrych ar Google Earth: https://about.google/brand-resource-center/products-and-services/geo-guidelines/

Llun o hendref draddodiadol yng nghyfrol Thomas Pennant, *Teithiau yng Nghymru*

Ffermwyr Cymru

Er bod cnydau fel barlys (haidd) a rhyg yn cael eu tyfu yng Nghymru, yn enwedig mewn ardaloedd fel Môn a Bro Morgannwg, roedd natur y tir a'r hinsawdd yn golygu mai bugeilio oedd prif waith ffermwyr Cymru. Bydden nhw'n mynd â'u hanifeiliaid i bori ar y bryniau yn yr haf, ac yn adeiladu tŷ yno ar gyfer y cyfnod hwnnw – yr *hafod*. Ond yn yr hydref fe fydden nhw'n dod â'r preiddiau adre i'r *hendref*. Mae'r geiriau hynny i'w gweld mewn llawer o enwau lleoedd yng Nghymru hyd heddiw.

Ymhen amser, roedd yn rhaid i ffermwyr Cymru dalu rhent am eu tiroedd i bwy bynnag oedd yn berchen ar y tir. Byddai'r rhent hwn yn cael ei dalu mewn bwyd, oherwydd doedd arian ddim yn cael ei ddefnyddio lawer. Os oedd yn haf gwael a'r cynhaeaf yn methu, byddai'n anodd, os nad yn amhosib, talu'r rhent. Yn sicr, bu farw miloedd ar filoedd o Gymry yn y gorffennol o newyn neu o afiechydon sy'n anodd gwella ohonyn nhw os ydych chi'n brin o fwyd. Roedd rhai arglwyddi'n barod i adael i'r ffermwr beidio talu rhent mewn cyfnod o newyn. Ond roedd rhai'n mynnu cael y rhent, ac weithiau byddai gwrthryfel yn codi yn erbyn arglwydd creulon.

Roedd llawer o'r Cymry yn dal i feddwl am y Saeson fel gelynion. Roedden nhw'n teimlo bod cyfreithiau'r Saeson yn annheg ac yn fwy llym na Chyfraith Hywel Dda. Roedd llawer yn cadw at hen gyfraith Cymru.

Byd y bonedd a'r beirdd

Cyn 1282 roedd y beirdd yn canmol y tywysogion am fod yn ddewr wrth ymladd yn erbyn eu gelynion. Bydden nhw hefyd yn canmol y tywysogion am eu haelioni yn rhoi gwin ac aur a cheffylau da iddyn nhw. Byddai'r beirdd yn crwydro o lys i lys, ac yn cystadlu am wobrau. Cynhaliodd yr Arglwydd Rhys, un o dywysogion y Deheubarth, eisteddfod enwog yn ei gastell yn Aberteifi yn 1176. Enillodd bardd o'r gogledd gadair am farddoniaeth a thelynor o'r de gadair am gerddoriaeth. Cadair yw prif wobr yr Eisteddfod Genedlaethol hyd heddiw – er bod llawer o newid wedi bod yn y byd ac ar drefniadau'r eisteddfod dros y canrifoedd!

Parhaodd y beirdd i deithio o gwmpas cartrefi'r bonedd ar ôl lladd Llywelyn yn 1282, pan ddaeth cyfnod tywysogion Cymru i ben. Roedd llawer ohonyn nhw'n sôn am y Mab Darogan, tywysog fyddai'n arwain y Cymry i fuddugoliaeth yn erbyn y Saeson, fel y gwnaeth Arthur, yn ôl y chwedlau Cymreig. Credai rhai mai Owain Glyndŵr oedd y Mab Darogan hwnnw. Roedd rhai wedyn yn sicr yn 1485 mai Harri Tudur oedd yr arweinydd yr oedden nhw wedi bod yn disgwyl yn hir amdano.

Wrth ganmol y boneddigion, byddai'r beirdd yn aml yn canmol eu cartrefi. Oherwydd hynny, mae rhai disgrifiadau manwl yn ein barddoniaeth sy'n rhoi darlun byw i ni o dai'r bonedd, eu diddordebau a'u teuluoedd. Dim ond tomen o bridd sydd i'w gweld heddiw lle roedd Sycharth, cartref Owain Glyndŵr, yn sefyll – ond mae gennym ddisgrifiad gwych ohono gan y bardd Iolo Goch.

Pont a chastell Aberteifi

Llechen i gofio man geni Dafydd ap Gwilym yng ngogledd Ceredigion

Pleserau'r bonedd a'r beirdd

Un o feirdd mwyaf Cymru yw Dafydd ap Gwilym, ac mae cerddi ganddo sy'n disgrifio sut y byddai ef yn mwynhau bywyd yng nghwmni Ifor ap Llywelyn, arglwydd Basaleg, ger Casnewydd. Dyma ran o un ohonyn nhw:

Mi a gaf, o fyddaf byw,
Hely â chŵn, nid haelach iôr,
Ac yfed gydag Ifor,
A saethu rhygeirw sythynt,
A bwrw gweilch i wybr a gwynt,
A cherddau tafodau teg,
A solas ym Masaleg.

Yfed a hela gyda chŵn a gweilch oedd pleserau'r bonedd am ganrifoedd, ond o leiaf roedd rhywfaint o gerddoriaeth hefyd ym Masaleg!

Tomen bridd yw'r cyfan sy'n weddill o Lys Sycharth (dde, uchod). Ond mae Cadw wedi ceisio ail-greu golwg gwledd ysblennydd y 1460au yn neuadd Tretŵr, Brycheiniog (chwith, uchod), sy'n debyg i fyrddau hael y bonedd gynt.

Roedd brwydrau yn ddigon erchyll a gwaedlyd yn yr Oesoedd Canol hefyd.

Gwrthryfelwyr

Erbyn 1400 roedd y Saeson wedi hen ymgartrefu yng Nghymru. Roedden nhw wedi codi cestyll, mewnforio eu mynachod a'u trefn eglwysig, a gorfodi eu cyfreithiau a'u harferion ar bobl Cymru. Roedden nhw hefyd wedi priodi aelodau o deuluoedd yr hen dywysogion, ac roedd arferion newydd i'w gweld ymysg y Cymry bellach.

Ymladd oedd canolbwynt bywyd yr arglwyddi, ac roedd yn gyfnod o ryfela a gwrthryfela cyson. Byddai'r eglwys yn ceisio troi hyn at bwrpas rhyfel 'crefyddol' yn erbyn y Mwriaid yn Sbaen neu'r Cathariaid yn ne Ffrainc. Y rhai mwyaf enwog o'r rhyfeloedd 'crefyddol' hyn yw'r Croesgadau, ymdrech aflwyddiannus i ennill dinas sanctaidd Caersalem yn ôl oddi wrth y Mwslimiaid.

Roedd gan y brenin hawl i alw am gymorth ei arglwyddi pan oedd yn mynd i ryfel. Ac roedd hawl gan bob arglwydd i alw am gymorth ei ddeiliaid – y marchogion oedd wedi derbyn darn o dir ganddo. Byddai'r Saeson yn gadael Cymru i fynd i ryfel dros y môr, a dyna pryd y byddai gwrthryfel yn debyg o ddechrau. Roedd cyfres ohonyn nhw yng Nghymru rhwng 1282 a 1400. Methodd pob un gwrthryfel, ond mae'r un olaf yn bwysig iawn yn hanes Cymru.

Owain Glyndŵr (1359-tua 1415)

Ar 16 Medi 1400, penderfynodd Owain
Glyndŵr, un o arglwyddi pwysicaf gogledd
Cymru, fynd i ryfel yn erbyn un arall o arglwyddi'r
ardal. Dechreuodd gwrthryfel a ledodd fel tân
gwyllt drwy Gymru gyfan. Roedd Glyndŵr yn
ddisgynnydd i dywysogion Gwynedd a Phowys,
roedd yn uchel ei barch ac yn filwr profiadol.
Ac yn bwysicach na hyn i gyd, roedd ganddo
syniadau newydd a'r egni a'r gefnogaeth i weld y
rheini'n dod yn wir.

**Baner Glyndŵr
adeg dathliad yng
Nghorwen**

Llwyddodd i feddiannu neu ddinistrio cestyll
y Normaniaid. Ond tra oedd wrthi'n distrywio
cestyll yng Nghymru, roedd hefyd yn
creu cysylltiadau gyda thywysogion a
brenhinoedd Ewrop, a hefyd gyda'r Pab,
pennaeth yr eglwys. Mae ei lythyrau
atyn nhw'n sôn am ei syniadau:
Cymru'n annibynnol oddi ar frenin
Lloegr, gyda dwy brifysgol a'r hawl
i benodi Cymry i swyddi yn yr
eglwys. Mae'n debyg iddo anfon
llythyr at frenin Ffrainc o'r senedd
a gynhaliodd ym mhentref Pennal,
ger Machynlleth, yn 1406.

**Cofebau i Owain
Glyndŵr yn nhref
Corwen — yr ardal
lle cychwynnodd
y gwrthryfel (isod) —
ac ym Machynlleth,
lle cynhaliwyd
y senedd gyntaf
yn hanes
Cymru (canol)**

Ond byr oedd cyfnod
Glyndŵr. Roedd yn llwyddo pan
oedd brenin Lloegr, Harri IV, yn
ymladd â'i bobl ei hun. Ar ôl i Harri

Eglwys Pennal, lle cynhaliwyd un o seneddau Owain Glyndŵr. Mae'r darlun ar y dde yn seiliedig ar y llun o Glyndŵr ar y Sêl Fawr a ddefnyddiai yn y senedd.

ennill y rhyfel hwnnw, roedd yn gallu troi ei sylw at ei broblem yng Nghymru. Anfonodd ei fab hynaf, un o filwyr gorau ei oes, gyda holl luoedd Lloegr, yn erbyn Glyndŵr. Fe gymerodd bedair blynedd, ond yn y diwedd, dim ond castell Harlech oedd yn eiddo i Owain Glyndŵr, dyn fu unwaith yn rheoli Cymru gyfan.

Peli canon carreg a ddefnyddiwyd i falu castell Harlech adeg y gwarchae gan y Saeson

Er hynny, llwyddodd Glyndŵr i ffoi o gastell Harlech, a does neb yn gwybod hyd heddiw ble na phryd y bu farw. Does dim byd ar ôl i'w weld bellach o'i blas hardd yn Sycharth. Aeth y cestyll yr oedd wedi'u cipio yn ôl i ddwylo'r Saeson. Dyw'r adeilad ym Machynlleth sy'n cael ei alw'n 'Senedd-dy Glyndŵr' ddim yn perthyn i'w gyfnod ef. Breuddwyd oedd gweledigaeth Glyndŵr wedi'r cyfan, ond mae llawer o bobl yn dathlu Dydd Glyndŵr ar 16 Medi bob blwyddyn. A gallwch fynd i eglwys Pennal, lle'r arwyddodd Glyndŵr un o'i lythyrau at frenin Ffrainc, a gweld yr arddangosfa sy'n cofio amdano.

Llosgodd Glyndŵr lawer o gestyll a threfi'r Saeson yng Nghymru. Roedd ei wrthryfel yn targedu'r rhain gan mai yn y trefi y byddai siopwyr a chrefftwyr Seisnig yn byw. Roedd y Saeson hyn yn y trefi'n cael llawer o freintiau nad oedd gan y Cymry'r tu allan i waliau'r dref. Roedden nhw'n cael yr hawl i gynnal marchnad, er enghraifft, a swyddogion y farchnad oedd yn gosod y prisiau ar gynnyrch y ffermydd

Ymosododd Glyndŵr a'i fyddin ar Gaernarfon sawl gwaith, gan losgi'r dref (llun uchaf). Cipiodd gastell Harlech (gwaelod) yn 1404 gan ei wneud yn bencadlys i'w wrthryfel ac yn gartref diogel i'w deulu.

Gwerful Mechain (c. 1460-1500)

Yn yr Oesoedd Canol, roedd merched dibriod yn cael eu hystyried yn eiddo i'w tadau. Ei thad fyddai'n penderfynu pwy fyddai merch yn ei briodi, a'r tad fyddai'n rhoi ei ferch i'w gŵr yn seremoni'r briodas. Mae hynny'n digwydd mewn sawl priodas heddiw, ac mae'n cael ei ystyried yn hen draddodiad pert gan lawer. Ond am amser hir roedd yn dangos yn glir cyn lleied o bŵer oedd gan unrhyw ferch, waeth mor gyfoethog oedd hi.

A phriodi oedd unig ddewis pob merch, heblaw ei bod am gysegru ei bywyd i Dduw a diflannu o'r byd i leiandy. Mae hanes Nest wedi dangos i ni beth allai ddigwydd i dywysoges, hyd yn oed. Ond, er gwaethaf popeth, weithiau byddai menyw arbennig yn llwyddo i oresgyn pob rhwystr a gwneud rhywbeth gyda'i bywyd. Un o'r menywod hyn oedd Gwerful Mechain.

Mae crefft barddoniaeth yn bwysig iawn yng Nghymru, ac un o seremonïau pwysicaf yr Eisteddfod heddiw yw coroni neu gadeirio bardd. Rhaid i'r bardd sy'n ennill y gadair

Mererid Hopwood – y ferch gyntaf i ennill y Gadair mewn Eisteddfod Genedlaethol. Gwnaeth hynny yn Ninbych yn 2001.

gyfansoddi ei farddoniaeth yn y mesurau caeth. Mae rhaid i bob llinell ddilyn un o nifer o batrymau cymhleth sy'n gwau seiniau'r geiriau gyda'i gilydd. Mae'r patrymau hyn yn hynafol ac yn gywrain.

Roedd statws uchel iawn i'r beirdd yng Nghyfraith Hywel Dda, a chyn hynny hefyd.

Ond roedd pob bardd wyddon ni amdano yn y cyfnod hwn yn ddyn – ar wahân i Gwerful Mechain. Llwyddodd hi i feistroli'r mesurau caeth,

**Y Forwyn Fair ar ei gorsedd mewn hen lawysgrif Gymreig
(Llyfr Oriau Llanbeblig)**

i gyfansoddi cerddi ar lawer o wahanol o bynciau, ac i herio rhai o
feirdd gorau ei chyfnod. Ychydig iawn wyddon ni amdani. Dim ond ei
barddoniaeth sydd gennym i brofi iddi fyw erioed. Tybed faint rhagor o
fenywod disglair fu fyw a marw heb gyfle i arddangos eu doniau?

Plas Penmynydd ym Môn – aelwyd wreiddiol y Tuduriaid

PLASTAI
Cymro'n frenin Lloegr

Harri Tudur

Cyn iddi hi farw, byddai Gwerful Mechain wedi gweld gwireddu breuddwyd y Cymry, sef coroni Cymro yn frenin Lloegr. Yn 1485 enillodd Harri Tudur goron Lloegr, wedi iddo drechu ei gefnder Rhisiart III ar faes y gad ym mrwydr Bosworth. Doedd gan Harri ddim llawer o hawl i'r goron. Roedd ei dad-cu, Owain Tudur, wedi priodi'r Frenhines Catrin, gweddw Harri V, oedd wedi trechu Glyndŵr. Ond roedd teulu brenhinol Lloegr wedi bod yn ymladd ymhlith ei gilydd am ganrifoedd, ac erbyn 1480, Harri Tudur oedd gobaith y Lancastriaid, un garfan o'r teulu.

Ganed Harri yng nghastell Penfro, a threuliodd ei blentyndod yng nghastell Rhaglan. Mae'r ddau gastell yn sefyll o hyd; mae castell Rhaglan yn enghraifft dda o gastell canoloesol oedd yn dechrau newid i

Ar hyd a lled Cymru, mae plastai a thai bonedd o oes y Tuduriaid ymlaen yn dangos bod gan yr uchelwyr gyfoeth ac uchelgais.

Gwydir, ger Llanrwst

Llancaeach Fawr, ger Caerffili

Bodysgallen, ger Llandudno

Aberglasne, ger Llandeilo

fod yn blas cyfforddus i fyw ynddo, yn hytrach na lle diogel mewn rhyfel yn unig. Ond roedd teulu Harri'n gwybod bod ei fywyd mewn perygl – oherwydd gelyniaeth carfan arall o'r teulu brenhinol, sef yr Iorciaid. Felly, bu'n rhaid i Harri fyw yn Ffrainc am flynyddoedd.

Erbyn 1485 Rhisiart III o deulu'r Iorciaid oedd brenin Lloegr, ond penderfynodd Harri Tudur wneud cynnig am y goron. Glaniodd yn Dale, ar arfordir de Sir Benfro, gyda byddin fach. Teithiodd wedyn drwy Gymru, gan gasglu cefnogwyr ar y ffordd. Daeth Rhisiart a'i fyddin i'w cyfarfod yn Bosworth, ger Caerlŷr. Lladdwyd Rhisiart yn y frwydr, ac fe gafodd Harri ei goroni fel Harri VII.

Dyna'r tro olaf i unrhyw un ennill coron Lloegr mewn brwydr. Er mor wan oedd hawl Harri i'r goron, fe lwyddodd i drechu pawb arall a gwneud yn siŵr fod ei fab, Harri VIII, yn frenin ar ei ôl. Ers canrifoedd bu ymladd rhwng y brenin a'i arglwyddi, a rhwng arglwyddi a'i gilydd. Ond daeth diwedd ar y rhyfela mewnol hwn gyda'r Tuduriaid. O hyn allan, doedd y cestyll ddim mor bwysig, a dechreuodd y bonedd adeiladu plastai moethus yn hytrach nag adeiladau diogel adeg rhyfel.

Roedd cyfnod o heddwch yn rhoi cyfle i fasnach ddatblygu hefyd, ac mae tai fel Plas Mawr, Conwy, yn dangos cyfoeth masnachwyr trefi Cymru.

Moethusrwydd mewnol Plas Mawr, Conwy

Gutenberg o'r Almaen a ddyfeisiodd wasg argraffu gan chwyldroi'r byd cyhoeddi llyfrau

Chwyldro Crefyddol

Ond roedd newidiadau eraill yn digwydd yn y byd yn ystod cyfnod Harri VII. Yn 1492 hwyliodd anturiaethwr o'r enw Christopher Columbus i'r gorllewin, yn y gobaith o gyrraedd India. Ond cyfandir America gyrhaeddodd Columbus – byd newydd i bobl Ewrop. Roedd llawer o aur ac arian i'w cael yno, ac am flynyddoedd byddai llongau Sbaen yn cludo trysorau America yn ôl i Ewrop. Yn raddol, dechreuodd aur ac arian golli eu gwerth, am fod cymaint yn cyrraedd Ewrop.

Yn gynharach yn y ganrif honno, dyfeisiodd Johann Gutenberg o'r Almaen ddull hwylus o argraffu llyfrau. Cyn hyn, yr unig ffordd o gael copi newydd o lyfr oedd drwy gael rhywun i'w gopïo â llaw. Dros gyfnod o flynyddoedd, daeth yn bosib i bobl gyffredin brynu llyfrau.

Ers canrifoedd, fe fu awdurdod yr Eglwys Gatholig, a'r Pab fel pennaeth yr eglwys, yn hollol gadarn. Roedd pob gwlad yn Ewrop yn perthyn i'r Eglwys Gatholig. Offeiriaid yr Eglwys oedd yn coroni brenhinoedd yn enw Duw. Nhw fyddai'n bedyddio pob plentyn, yn priodi pob gŵr a gwraig, ac yn cynnal y seremonïau pan fyddai rhywun yn marw. Ar y cyfan, dim ond offeiriaid a mynachod oedd yn medru ysgrifennu. Felly, pobl yr Eglwys oedd yn cadw cofnodion ac yn ysgrifennu pob dogfen bwysig.

Roedd llawer o gyfoeth gan yr Eglwys Gatholig hefyd, oherwydd byddai pobl yn rhoi anrhegion iddi er mwyn plesio Duw. Byddai arglwyddi yn rhoi tir i'r eglwys ac yn talu am weddïau gan yr offeiriaid. Ar ben hynny, roedd pawb i fod i roi 10% o'u hincwm i'r Eglwys bob blwyddyn. Wrth i arian ddechrau colli ei werth, dechreuodd rhai brenhinoedd edrych yn eiddgar at gyfoeth yr Eglwys.

Roedd newidiadau eraill yn digwydd hefyd. Dechreuodd pobl feirniadu'r Eglwys Gatholig am ei chyfoeth a'i harferion, gan ofyn faint o sail oedd i'r rhain yn y Beibl. Roedd dadleuon cryf gan ddynion fel Martin Luther a John Calfin yn erbyn yr Eglwys

Blaenddalen *Yny lhyvyr hwnn* (1546) – y llyfr cyntaf i'w gyhoeddi yn y Gymraeg

Gatholig, ac roedd y rhain yn apelio at fwy a mwy o bobl yng nghyfnod Harri VIII. A phan wrthododd y Pab ganiatáu i Harri gael ysgariad oddi wrth ei wraig Catrin, penderfynodd Harri gael gwared ar awdurdod y Pab dros ei deyrnas. Yna, fe gyhoeddodd mai ef ei hun oedd pennaeth yr eglwys yng Nghymru a Lloegr.

Roedd hwn yn chwyldro go iawn. Aeth swyddogion y brenin i bob mynachlog a lleiandy, eu cau a chymryd eu cyfoeth. Cymerwyd y trysorau aur, arian a gemau o'r eglwysi cadeiriol ac eglwysi'r plwyfi hefyd. Cynyddodd cyfoeth y brenin yn fawr, ac elwodd ei arglwyddi a'u dilynwyr hefyd ar y sefyllfa.

Cymru'n rhan o Loegr

Roedd y chwyldro hwn yn drasiedi i lawer o bobl. Roedd yr eglwysi a'r mynachlogydd yn rhan bwysig iawn o'u bywydau. Byddai seremonïau'r eglwys, ei ffenestri a'i muriau lliwgar, yn dod â harddwch a chysur iddyn nhw. Roedd llawer o'r Cymry yn galaru am 'yr hen Fam', sef yr Eglwys Gatholig. Mae arfordir hir gan Gymru, ac ers miloedd o flynyddoedd mae llongau wedi bod yn mynd a dod i'w phorthladdoedd o Ffrainc a Sbaen – dwy wlad oedd wedi aros yn ffyddlon i'r Eglwys Gatholig. Roedd y brenin a'i swyddogion yn ofni y gallai gelynion o'r gwledydd hynny ymosod ar Loegr drwy Gymru – fel y gwnaeth Harri VII.

Felly, penderfynodd Harri VIII sicrhau ei afael ar Gymru drwy basio deddfau i wneud Cymru yn rhan o Loegr. Cafodd Cymru ei rhannu'n siroedd, gyda swyddogion i'w rhedeg dan awdurdod y Brenin. Cyfreithiau Lloegr oedd i gael eu cadw, ac roedd yn rhaid i'r Cymry anghofio am Gyfraith Hywel Dda. Saesneg, nid Cymraeg, oedd iaith swyddogol Cymru o hyn allan.

Erbyn heddiw, efallai mai dim ond enwau rhai o'r siroedd sy'n dangos bod y newidiadau mawr hyn wedi digwydd. Efallai hefyd nad oedd y rhan fwyaf o bobl Cymru yn meddwl llawer amdanyn nhw, ar wahân i'r newidiadau crefyddol oedd yn effeithio ar bawb. Doedd dim papurau

...and also that from henceforth no Person or Persons that use the Welch Speech or Language, shall have or enjoy any manner Office or Fees within this Realm of England, Wales, or other the King's Dominion, upon Pain of forfeiting the same Offices or Fees, unless he or they use and exercise the English Speech or Language...

Geiriad rhan o ddogfen y Deddfau Uno a ddaeth i rym yn 1536 a 1543. Pwrpas y deddfau hyn oedd gwneud Cymru yn rhan annatod o Loegr, gyda'r un gyfraith, yr un drefn weinyddol – a'r un iaith, sef Saesneg.

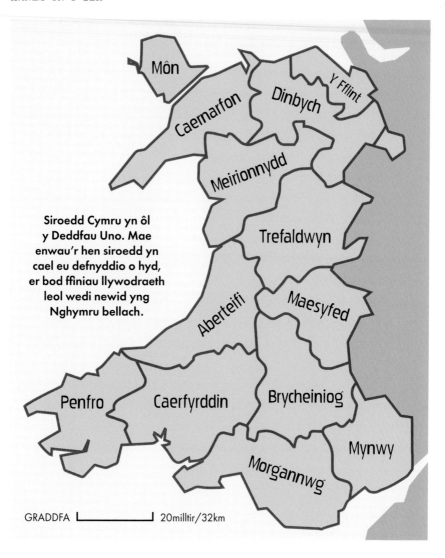

Siroedd Cymru yn ôl y Deddfau Uno. Mae enwau'r hen siroedd yn cael eu defnyddio o hyd, er bod ffiniau llywodraeth leol wedi newid yng Nghymru bellach.

GRADDFA |_____| 20milltir/32km

newydd na theledu na Google ar gael bryd hynny, ac mae mwy o ddiddordeb gan bobl ym mhob oes yn eu bywydau eu hunain na dim byd arall. Yr adeg yma roedd bywyd yn fregus iawn, a llawer o bobl yn marw o afiechyd. Os oedd y cynhaeaf yn methu, byddai pobl yn marw o newyn. Felly, doedd yr hyn oedd yn cael ei wneud yn Llundain ddim o ddiddordeb mawr i'r rhan fwyaf o bobl. Ond, mewn gwirionedd, byddai newidiadau sydyn Harri VIII yn arwain dros amser at newid ym mhob agwedd o fywyd.

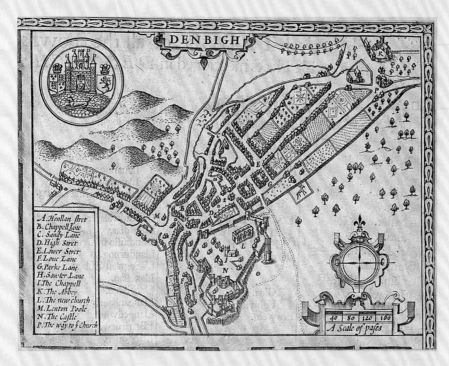

Yn 1610 gwnaeth John Speed fap enwog o siroedd a threfi newydd Cymru. O'r map uchod fe gewch chi syniad gwych o olwg un o drefi Cymru yn ei amser ef. Wrth sefydlu siroedd, dewiswyd un dref ym mhob sir i fod yn dref sirol – canolfan llywodraeth leol a chyfraith a threfn. Mae'n ddiddorol cymharu un hen fap o dref Dinbych â llun o'r awyr o sut mae'n edrych heddiw. Weithiau dyw patrwm y strydoedd, na'u henwau chwaith, ddim wedi newid dros y canrifoedd.

Dau o Oes y Tuduriaid

Yr Esgob William Morgan (1545–1604)

Er gwaethaf y deddfau i wneud Saesneg yn iaith swyddogol Cymru, mae llawer ohonon ni'n dal i siarad Cymraeg heddiw. Gwaith un dyn sy'n gyfrifol am hynny, mae'n debyg. Lladin oedd iaith yr Eglwys Gatholig. Dyna oedd iaith ei gwasanaethau, ei gweddïau a'i chyhoeddiadau, er doedd neb wedi siarad Lladin fel iaith fyw ers mil o flynyddoedd. Doedd yr Eglwys Gatholig ddim am i'r Beibl gael ei gyfieithu i ieithoedd byw Ewrop.

Yr Esgob Wiliam Morgan a blaenddalen y Beibl Cymraeg dylanwadol

Wrth i bŵer yr Eglwys Gatholig fynd yn llai, dechreuodd ysgolheigion gyfieithu'r Beibl i holl ieithoedd amrywiol Ewrop, gan gynnwys y Gymraeg. Yr Esgob William Morgan oedd yn bennaf cyfrifol am y cyfieithiad Cymraeg. Y bwriad oedd sicrhau bod y Cymry yn dysgu Saesneg drwy osod Beibl yn Saesneg a Beibl yn Gymraeg ym mhob eglwys. Ond un canlyniad oedd fod Cymraeg hardd cyfieithiad William Morgan wedi dylanwadu ar Gymraeg pawb am ganrifoedd, ac wedi rhoi geirfa eang iddyn nhw.

Roedd y Beibl Cymraeg yn un o'r pymtheg cyfieithiad cyntaf yn y byd, ac ar ôl hynny cyhoeddwyd mwy a mwy o lyfrau Cymraeg. Ganed William Morgan yn Nhŷ Mawr, Wybrnant, ger Betws-y-coed. Er i'r tŷ presennol gael ei adeiladu ychydig yn ddiweddarach, mae'n enghraifft dda o gartref teulu gweddol gefnog yn ei amser ef, gyda'i waliau solet o gerrig, simneiau a llefydd tân eang.

Catrin o Ferain (1534–1591)

Merch o deulu bonheddig a chyfoethog oedd Catrin. Etifeddodd diroedd eang yn y gogledd, a phlastai hardd hefyd. Roedd ei thad yn ffrind agos i Harri VII ac yn gwnstabl castell Biwmares. Roedd Catrin yn hardd ac yn ddeallus, ac yn hoff o farddoniaeth. Roedd hefyd yn agos iawn at y teulu brenhinol. Yn y dyddiau hynny roedd disgwyl i ferch briodi, ac roedd llawer o ddynion yn cystadlu i'w hennill. Priododd hi bedair gwaith, y tro cyntaf yn 1556 pan oedd yn 22 mlwydd oed.

Ei gŵr oedd Siôn Salsbri, aelod o deulu cyfoethog a phwysig arall yn y gogledd. Fe gawson nhw ddau fab, ond bu farw Siôn yn 1566. Y flwyddyn ganlynol fe briododd Catrin Rhisiart Clwch (Clough), marsiandïwr cyfoethog iawn. Ganed dwy ferch iddyn nhw, ac yn ystod eu priodas fe adeiladon nhw blastai Bach-y-graig a Phlas Clough – y tai cyntaf yng Nghymru i gael eu hadeiladu o frics.

Ond bu farw Rhisiart yn 1570, ac roedd Catrin yn weddw gyfoethog am yr ail dro. Priododd eto, â Maurice Wynn o Wydir. Fe gawson nhw hefyd ddau blentyn – ac, unwaith eto, bu farw Maurice cyn ei amser. Erbyn hyn, Catrin oedd un o'r bobl gyfoethocaf ym Mhrydain. Ei phedwerydd gŵr – a'r olaf – oedd Edward Thelwall o Blas-y-ward. Doedd dim

Catrin o Ferain

Mae pensaernïaeth y tai bonedd cynnar yn dangos antur a chyfoeth. Bach-y-graig yn Nyffryn Clwyd oedd y tŷ cyntaf yng Nghymru i'w adeiladu o frics. Mae ôl cynllunio a gwario mawr ar dir y parc o amgylch Castell y Waun (isod).

plant o'r briodas hon, a bu farw Catrin cyn Edward.

Cafodd Catrin chwech o blant i gyd, ac fe ofalodd hi eu bod yn priodi'n "dda" – hynny yw, yn priodi plant pobl bwysig a chyfoethog. Ganed 16 o wyrion i Catrin, ac roedd ganddyn nhw gysylltiadau teuluol dros Gymru gyfan. Mae rhai'n sôn amdani fel "Mam Cymru".

Rhai o ddisgynyddion Catrin a Rhisiart Clwch sy'n berchen Portmeirion heddiw, ac mae'n bosib i chi ymweld â rhai o'r tai hardd oedd yn eiddo iddi.

Ond er mor gyfoethog a phwysig oedd Catrin, does neb yn gwybod yn bendant hyd heddiw ble mae hi wedi ei chladdu, er bod traddodiad cryf yn ei chysylltu â mynwent Llannefydd, Sir Conwy.

Plastai a ffermdai

Roedd Cymry bonheddig yn eithaf bodlon eu byd yn amser y Tuduriaid. Wedi'r cyfan, roedd Cymro (o ryw fath) yn gwisgo coron Lloegr ac yn croesawu Cymry i'w lys – ac i swyddi da hefyd. Aeth llawer o ddynion ifanc i Lundain i wneud eu ffortiwn. Y ffaith eu bod yn barod i fentro oedd sail llwyddiant teuluoedd fel y Myddeltons o Gastell y Waun a theulu'r Cecils (fersiwn Saesneg yr hen enw Cymraeg Seisyllt).

Plas Mawr, Conwy

Mae'r teulu yma wedi bod yn amlwg ym myd gwleidyddiaeth ers i Dafydd Seisyllt ennill sylw Harri VII a dod yn aelod seneddol yn 1504.

Er bod ymladd a thrais yn gyffredin yn y cyfnod hwn, doedd dim rhyfeloedd cartref rhwng 1485 ac 1649, a dyma'r cyfnod pan ddechreuodd cestyll droi'n gartrefi. Fe wnaeth y bonedd elwa hefyd ar benderfyniad Harri VIII i dorri i ffwrdd oddi wrth yr Eglwys Gatholig, a chau'r mynachlogydd. Er iddo droi eu cyfoeth i'w bwrpas ei hun, rhannodd lawer o diroedd y

Tŷ masnachwr, Dinbych-y-pysgod

mynachlogydd â'i ffrindiau. Roedden nhw'n ddyddiau da i fod yn ffrind i'r brenin, er mor beryglus oedd bod yn wraig iddo! Mae rhai o blastai hynaf Cymru yn perthyn i'r cyfnod hwn, er bod llawer o newid wedi bod arnyn nhw dros y canrifoedd.

Mae un tŷ arbennig wedi cael ei adfer i'w gyflwr gwreiddiol. Cafodd Plas Mawr yng nghanol tref Conwy ei adeiladu rhwng 1576 ac 1585, yn amser y frenhines Elisabeth I, merch Harri VIII. Doedd ei berchennog cyntaf, Robert Wynn, ddim am guddio'i gyfoeth, ac mae'r tŷ yn enghraifft liwgar ac anghyffredin iawn o blastai'r cyfnod. Cafodd ei adfer gan

Bwthyn to gwellt yng Ngheredigion

Cadw, gan ddefnyddio'r dystiolaeth sydd yn ein meddiant heddiw. A nawr mae'n bosib i chi grwydro'r tŷ o'r gegin (a'r bragdy) i'r llofftydd lle byddai'r gweision yn cysgu, dan do sy'n gampwaith o drawstiau anferth wedi eu naddu i'w gilydd.

Dyna, mae'n debyg, sut y byddai plastai eraill y cyfnod wedi edrych hefyd. Ond ychydig iawn o'r harddwch gwreiddiol sydd i'w weld heddiw yn Neuadd Trebarried, Powys, neu Derwydd, ger Llandeilo, neu Althrey, Wrecsam. Ac mae plastai tebyg ym mhob rhan o Gymru yn dal i ddangos mor dda oedd bywyd i rai yn y dyddiau hynny!

Byddai'r bobl dlawd wedi parhau i godi tai o glai a phren, tai oedd yn hawdd a rhad i'w codi. Ond roedd y tai yma'n dirywio'n gyflym – ac yn ofnadwy o ddiflas i fyw ynddyn nhw. Ychydig iawn o olion y cartrefi digysur hyn sydd i'w gweld yng Nghymru heddiw. Efallai eich bod wedi gweld lluniau o hen fwthyn to gwellt â waliau o bridd wedi ei gymysgu â gwellt a rhawn – ond does neb yn byw mewn tai tebyg heddiw. Weithiau, os edrychwch chi'n fanwl ar fwthyn unllawr wrth ochr y ffordd yng nghefn gwlad, fe welwch chi olion y to gwellt o dan y to sinc. Do, fe fu rhywun yn byw yno unwaith. Mae rhai o'r hen dai hyn wedi cael eu troi'n dai allan ar ffermydd, neu'n siediau wrth ochr tŷ mwy a godwyd yn ddiweddarach.

Os gwelwch chi ffermdy sydd wedi ei adeiladu i mewn i ochr bryn, mae'n bosib ei fod wedi ei adeiladu ar sylfeini sy'n mynd yn ôl ganrifoedd lawer. Yng nghyfnod y Tuduriaid, ac yn enwedig yn yr 17G, dechreuodd ffermwyr a allai fforddio gwneud hynny wella eu tai. Fe wnaethon nhw droi waliau mwd yn waliau o gerrig solet a rhoi

Roedd ffermdy Kennixton, sydd bellach i'w weld yn Sain Ffagan, yn amlwg yn gartref i ffermwr cyfoethog.

llawr carreg las ar y llawr pridd. Yn lle'r tân agored oedd yn arfer llosgi yng nghanol y llawr, adeiladon nhw simnai ar wal talcen y tŷ. Hefyd, roedd yna ystafelloedd ar wahân i gysgu ynddyn nhw, a rhai i wneud bwyd a golchi dillad. I'r cyfnod hwn y mae rhai o'r tai sydd i'w gweld yn Sain Ffagan, Amgueddfa Werin Cymru, heddiw yn perthyn, er enghraifft Abernodwydd (1678) a Kennixton (1610).

Ond os ydych chi am weld sut fyddai tŷ o gyfnod cynharach yn edrych, ewch i Hendre'r-ywydd Uchaf (1508) sydd hefyd yn Sain Ffagan – a chofiwch mai *plas* oedd hwn hefyd yn ei ddydd!

Marchnadoedd a threfi marchnad

Mae ffermwyr yn dal i fynd â'u hanifeiliaid a chynnyrch arall o'u tir i farchnad i'w gwerthu. Ac mae marchnad ffermwyr yn boblogaidd heddiw fel lle i brynu bwyd ffres gan y ffermwyr yn hytrach na'i brynu mewn archfarchnad. Mae hefyd yn lle i gymdeithasu ac ymlacio. Roedd

hynny'n wir yn y gorffennol hefyd, a byddai sgwâr y farchnad yng nghanol y dref yn llawn stondinau a thafarndai.

Adeiladwyd neuadd gyfan ar gyfer y farchnad mewn rhai trefi. Mae'r hen neuadd yn Llanidloes yn dal i sefyll yng nghanol y dref, er iddi gael ei hadeiladu

**Golygfa o farchnad yn Aberystwyth;
(isod) hen adeilad Marchnad Fenyn y Gelli Gandryll**

o bren rywbryd rhwng 1612 ac 1662. Ond mae Marchnad Fenyn y Gelli Gandryll yn fwy newydd. Adeiladwyd honno yn 1830, ac mae marchnad yn dal i gael ei chynnal yno bob dydd Iau.

Fel arfer, byddai marchnad yn cael ei chynnal bob wythnos. Ond unwaith neu ddwywaith y flwyddyn fe fyddai ffair yn cael ei chynnal mewn rhai trefi. Dyma gyfle i bobl chwilio am waith, a byddai pobl yn teithio yno i werthu nwyddau o bell, pethau egsotig nad oedd yn bosib i bobl leol eu cynhyrchu. Byddai ffeiriau'n cael eu cynnal ar dir agored, ac felly does dim byd i'w weld heddiw i ddangos ble fydden nhw'n digwydd.

Roedd rhai ffermwyr hefyd yn trefnu i fynd â gwartheg a defaid i

farchnadoedd yn Lloegr. Byddai porthmyn yn gofalu am yr anifeiliaid ar y daith. Fe fydden nhw ceisio sicrhau pris teg i'r ffermwr ac yn dod â'r arian 'nôl iddo'n ddiogel. Dyma ddechrau banciau, ac mae enwau rhai o'r banciau'n dangos hynny.

Tafarn y porthmyn ar Fynydd Epynt (uchod); hen lun o ddau borthmon (canol); papur arian un o fanciau'r porthmyn (isod)

Cafodd Banc y Ddafad Ddu ei sefydlu ar ddiwedd y 18G, a banc yr Eidion Du yn Llanymddyfri yn 1799. Prynodd banc Lloyds fusnes yr Eidion Du yn 1909, ond mae adeilad yr hen fanc yn dal i sefyll yng nghanol y dref.

Roedd Llanymddyfri yn ganolfan bwysig i deithiau'r porthmyn. Mae'n bosib cerdded rhai o ffyrdd y porthmyn heddiw, er bod rhai wedi diflannu a llawer yn mynd â chi dros dir garw. Am

Dau bâr o bedolau gwartheg a ddefnyddid yn amser y porthmyn

ganrifoedd, byddai dynion yn hebrwng cannoedd o anifeiliaid dros y llwybrau hyn, gyda chŵn i'w helpu. Os ydych chi'n lwcus, efallai y byddwch yn dod o hyd i un o bedolau'r gwartheg, oherwydd roedd yn rhaid eu pedoli ar gyfer eu taith hir.

Ymladd dros grefydd

Pan ewch chi i hen eglwys – un sydd wedi ei hadeiladu cyn 1500 – edrychwch ar unrhyw gerfluniau sydd yno. Os cawson nhw eu creu cyn 1500, mae'n bur debyg y byddan nhw wedi cael eu difetha'n fwriadol – eu llygaid wedi eu bwrw allan, neu eu trwynau eu torri i ffwrdd.

Yn ystod y cyfnod ar ôl 1500 roedd llawer o anghytuno drwy Ewrop gyfan ynglŷn â chrefydd. Roedd rhai pobl yn ffyddlon i'r Eglwys Gatholig, yn derbyn awdurdod y Pab ar bethau crefyddol, ac eisiau i bawb gytuno â nhw. Roedd eraill yn credu bod yr Eglwys Gatholig wedi camarwain pobl ers canrifoedd, ac eisiau i bawb gytuno â nhw mai'r Beibl oedd yr unig awdurdod o bwys ar faterion crefyddol.

Roedd rhyfeloedd crefyddol drwy Ewrop yn y cyfnod hwn. Er bod Harri VIII wedi torri i ffwrdd oddi wrth yr Eglwys Gatholig, nid oedd wedi newid llawer ar yr hyn y byddai pobl yn ei gredu. Doedd yr arferion a'r dathliadau oedd yn rhan bwysig o'u bywydau ddim wedi newid chwaith. Ond wrth i amser fynd yn ei flaen, dechreuodd mwy o bobl amau'r pethau roedd yr Eglwys Gatholig yn eu dysgu a beirniadu ei chyfoeth. Dyma ddadleuon oedd yn rhwygo teuluoedd

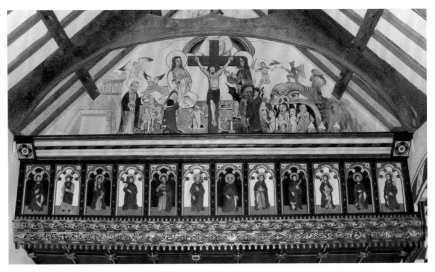

Enghraifft o ddarluniau o'r cyfnod cyn y Diwygiad Protestannaidd wedi'u hail-greu yn hen eglwys Teilo, Llandeilo Tal-y-bont, sydd bellach wedi'i symud i Sain Ffagan

ac yn achosi i un garfan erlid a phoenydio'r llall.

Mewn sawl hen blasty yng Nghymru mae yna ystafell gudd – rhywle i guddio rhywun oedd yn cael ei erlid oherwydd yr hyn roedd yn ei gredu.

Mae cofebau hefyd sy'n nodi lle cafodd rhywun ei ladd oherwydd ei gred. Mae rhai ohonyn nhw mewn llefydd annisgwyl iawn.

Ac mae gan bob hen eglwys rywbeth sy'n ein hatgoffa o'r adeg hon mewn hanes – fel ffenest ryfeddol eglwys Sant Dyfnog, Llanrhaeadr-yng-

Ffenest Jesse, Eglwys Sant Dyfnog, Llanrhaeadr-yng-Nghinmeirch

Nghinmeirch, Sir Ddinbych. Mae'n dangos coeden Jesse, sef llinach Iesu Grist. Cafodd ei chreu tua 1533, y flwyddyn cyn i Harri VIII dorri i ffwrdd oddi wrth yr Eglwys Gatholig. Rywbryd yn ystod y blynyddoedd wedi hynny, cafodd bocs anferth ei wneud ar gyfer y ffenest, er mwyn ei chladdu yn y pridd. Cafodd ei rhoi yn ôl yn ei lle yn yr eglwys yn 1661.

Croes bregethu o'r cyfnod Catholig, eglwys Patrisio, Powys

Yn yr un cyfnod, roedd rhai pobl grefyddol iawn yn ymwrthod â seremonïau'r eglwys yn gyfan gwbl. Yr enw arnyn nhw oedd y Piwritaniaid, neu 'Anghydffurfwyr' gan eu bod yn mynnu addoli mewn ffordd wahanol.

Yn ystod cyfnod Elisabeth I roedd yr Eglwys Anglicanaidd a sefydlwyd gan ei thad wedi datblygu 'ffordd ganol' rhwng Catholigiaeth a Phiwritaniaeth. Os oedden nhw'n barod i gydymffurfio drwy fynd i'w heglwys leol o bryd i'w gilydd, fyddai'r offeiriaid ddim yn holi pobl yn rhy fanwl beth roedden nhw ei gredu. Ond er mwyn sicrhau diogelwch y wlad, penderfynwyd mai dim ond aelodau o'r Eglwys Anglicanaidd oedd yn cael swyddi cyfrifol ac yn cael mynd i'r brifysgol. Roedd yn rhaid i chi gydymffurfio â'r Eglwys Anglicanaidd os oeddech am fod yn Aelod Seneddol, neu'n Ustus Heddwch, neu hyd yn oed gael addysg uwch. Oherwydd hyn, gwnaeth llawer o Anghydffurfwyr eu gyrfaoedd mewn busnes. Roedd un garfan, y Crynwyr, yn gwrthod yfed alcohol. Ond fe wnaeth nifer ohonyn nhw ffortiwn drwy ddatblygu diod oedd newydd ddod i Ewrop – siocled. Bydd enwau rhai o'r teuluoedd hyn yn gyfarwydd i chi – Cadbury, Terry, Fry, Rowntree. Sefydlodd yr Anghydffurfwyr eu hysgolion eu hunain er mwyn darparu addysg uwch. Yn yr academïau hyn byddai pynciau newydd fel gwyddoniaeth yn cael eu dysgu, a syniadau newydd, chwyldroadol yn cael eu trafod.

Cofeb Rawlins White, y merthyr Protestannaidd, yng nghanol siop House of Fraser, Caerdydd

Capeli

Mae addoldai'r Eglwys Anglicanaidd yn cael eu galw'n eglwysi, ac mae llawer ohonyn nhw ar ffurf croes, gyda chlochdy, gan y byddai cloch yr eglwys yn galw pobl i'r gwasanaeth. Rhan bwysicaf pob eglwys yw'r allor, lle mae'r offeiriad yn rhoi'r cymun i'r

Capel cynnar Maesyronnen (isod) a'r tu mewn i'r 'Capel Newydd', Nanhoron yn Llŷn

addolwyr. Dyma ddefod ganolog gwasanaeth eglwys.

Mae capeli fel rheol ar ffurf petryal, a'r rhan bwysicaf yw'r pulpud. Y bregeth yw'r ddefod ganolog mewn capel, ac mae'r pulpud yn uchel, fel bod pawb yn gallu gweld a chlywed y pregethwr.

Adeiladau syml iawn oedd y capeli cynnar, yn debyg iawn i ysgubor lle byddai'r Anghydffurfwyr cyntaf yn aml yn cwrdd, a hynny weithiau yn y dirgel yn nyddiau peryglus yr 17G. Adeiladwyd llawer o gapeli anferth a chrand iawn yng Nghymru yn ystod y 19G. Ond weithiau fe welwch chi adeilad syml y capel gwreiddiol yn dal i sefyll yng nghysgod y capel mawr diweddarach.

Chwyldroadau

Y Pab a'r Eglwys Gatholig oedd wedi rheoli pob agwedd ar fywyd ers canrifoedd. Ond wrth i bobl ddechrau herio'u hawdurdod, dechreuon nhw gwestiynu pethau eraill oedd wedi cael eu cymryd yn ganiataol ers amser maith hefyd. Roedd mordeithiau anturus dynion fel Columbus wedi dangos mor fawr yw'r byd, a chymaint o ryfeddodau sydd ynddo.

Un o'r symiau cyntaf y byddwn yn ei gwneud yw 1 + 1 = 2. Mathemategydd o Gymru oedd Robert Recorde. Cafodd ei eni yn Ninbych-y-pysgod tua 1510. Fe ddyfeisiodd y symbol hafaliad = sy'n cael ei ddefnyddio drwy'r byd i gyd.

Roedd sgiliau mathemategol a pheirianneg yn datblygu yn yr un cyfnod. Dechreuodd pobl geisio darganfod mwy am y byd o'u cwmpas, gan lunio arbrofion i brofi eu syniadau a'u damcaniaethau. Dyma ddechrau'r Chwyldro Gwyddonol a datblygu dull gwyddonol o geisio profi pob damcaniaeth yn erbyn tystiolaeth wrthrychol.

Mae rhai o'r arbrofion hyn yn edrych yn rhyfedd iawn i ni. Ond drwy ddefnyddio'r dull hwn o chwilio am wybodaeth cafodd pethau pwysig eu darganfod – pethau sy'n ffurfio ein bywyd ni heddiw. Yn yr 17G, er enghraifft, dyfeisiwyd y telesgop a'r baromedr. Hefyd, dysgodd pobl sut roedd cylchrediad y gwaed yn gweithio, yn ogystal â rheolau disgyrchiant a'r pendil. Dyma ddechrau proses sy'n parhau hyd heddiw.

Ond wrth ddarganfod y pethau hyn, dechreuodd pobl gwestiynu pob math o awdurdod. Roedden nhw'n gofyn pam ddylai rhai pobl fyw yng nghanol llawer o gyfoeth tra oedd eraill yn ei chael mor anodd byw o gwbl. Pan oedd pawb yn fodlon derbyn mai dyna oedd trefn Duw, roedd yn bosib osgoi'r cwestiynau anodd hyn. Ond unwaith y sylweddolodd pobl fod modd cwestiynu hen arferion a dulliau o feddwl am y byd, dechreuodd cyfnod o herio pob awdurdod.

Rhyddid newydd

Roedd pobl wedi gwrthryfela yn erbyn
eu rheolwyr am wahanol resymau
ar hyd y blynyddoedd. Ond cais
syml oedd gan y bobl hyn – am gael
eu trin yn fwy teg gan y rheolwyr.
Doedden nhw ddim wedi amau hawl
y rheolwyr i'w rheoli. Ond dyna beth
ddechreuodd ddigwydd o'r 17G
ymlaen. I ddechrau, roedd grwpiau
bychan o ysgolheigion yn trafod
syniadau newydd am hawliau pobl
gyffredin. Roedden nhw dweud mai
rheswm, ac nid arferiad, oedd yn
bwysig fel sail i drefniadau cymdeithas.

**Pamffled yn diolch am ddileu
caethwasanaeth**

Fe wnaethon nhw hefyd awgrymu'r syniad chwyldroadol fod pawb
wedi eu geni'n gyfartal. Ymledodd y syniadau newydd hyn, ac erbyn
ail hanner y 18G roedd llawer o bobl yn galw am wella cymdeithas.
Roedden nhw am gael gwared ar hen arferion annheg a breintiau oedd
yn seiliedig ar statws neu gyfoeth eich teulu.

Caethweision yn pacio baco yn Virginia

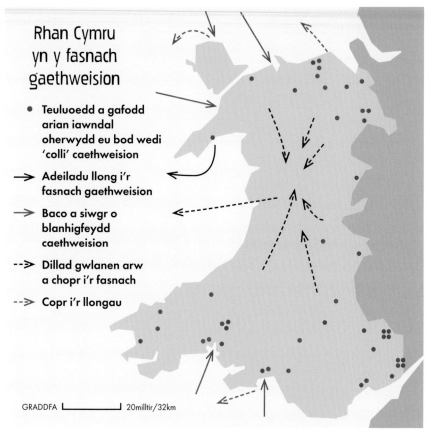

Rhan Cymru yn y fasnach gaethweision

- Teuluoedd a gafodd arian iawndal oherwydd eu bod wedi 'colli' caethweision

→ Adeiladu llong i'r fasnach gaethweision

⇢ Baco a siwgr o blanhigfeydd caethweision

--▷ Dillad gwlanen arw a chopr i'r fasnach

--▷ Copr i'r llongau

GRADDFA |_____| 20milltir/32km

Dechreuodd pobl ymgyrchu yn erbyn y fasnach gaethweision yn y 18G. Roedd pobl fel y Methodistiaid yn ei chasáu. Roedden nhw'n credu bod Duw wedi creu pawb yn gyfartal a bod pob person yn blentyn i Dduw, beth bynnag oedd lliw ei groen. Ond roedd llawer o wrthwynebiad i'r ymgyrch hon. Er i ddeddf yr ymgyrchydd William Wilberforce gael ei phasio yn y senedd yn Llundain yn dileu caethwasiaeth yn 1833, bu'n rhaid i'r llywodraeth dalu iawndal i berchnogion caethweision am ganrif a rhagor.

Mae cofnod am long o Barbados yn cyrraedd harbwr Conwy (dde) gyda llwyth o siwgr yn 1740. Roedd hon yn rhan o driongl y fasnach: llongau'n mynd â nwyddau fel copr a gwlanen Gymreig i Affrica a'u defnyddio i brynu caethweision yno. Yna byddai'r llongau'n cludo'r caethweision i India'r Gorllewin ac America i'w gwerthu er mwyn prynu cotwm, siwgr a baco i'w gwerthu gartref.

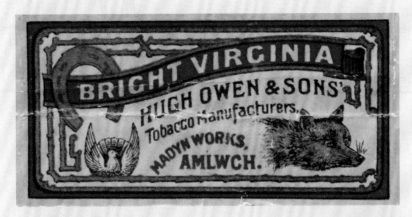

Roedd Porth Amlwch yn harbwr prysur yn y 18G. Yn ogystal ag allforio copr (oedd yn cael ei ddefnyddio i greu platiau i amddiffyn coed llongau'r caethweision), roedd yn mewnforio baco o'r planhigfeydd yn America.

Cymru a'r Caethweision

Daeth arian iawndal i deuluoedd y rhai oedd gynt yn berchen ar gaethweision yng Nghymru pan basiwyd Deddf Diddymu Caethwasiaeth yn 1833 (gweler y map ar y dudalen gyferbyn). Talwyd £20 miliwn (£16 biliwn yn arian 2021) am yr 800,000 o gaethweision a ryddhawyd oedd yn "eiddo" i 46,000 o "berchnogion" ym Mhrydain. Roedd arian trethi pobl Prydain yn dal i gael ei ddefnyddio i glirio dyled y llywodraeth oedd wedi gorfod talu'r iawndal hwn tan 2015.

Yn hanes porthladd Pwllheli, ceir y cofnodion hyn ar gyfer 1801: 'Gwnaed llong, y Mary i gludo 600 o gaethweision o Affrica i'r America/Codwyd capel newydd gan y Methodistiaid Calfinaidd, Capel Penmount'. Roedd y capel a'r llong yn cael eu hadeiladu ochr yn ochr â'i gilydd ar y cei – a'r ddau tua'r un faint â'i gilydd. Archeb gan iard longau W. Courtney oedd y llong (a gâi ei galw yn 'Welsh Mary') a hynny ar gyfer cwmni Forbes & Co, Lerpwl.

Ann Griffiths (1776–1805)

Penddelw o Ann Griffiths

Ni theithiodd Ann Griffiths erioed ymhell o'i chartref, fferm Dolwar-fach, sy'n agos at bentref Llanfihangel-yng-Ngwynfa ym Mhowys. Nid yw'n bell chwaith o Bennant Melangell. Cafodd Ann ei magu yn yr Eglwys Anglicanaidd. Ond pan oedd yn ferch ifanc fe ddechreuodd fynd i gyfarfodydd grŵp arbennig o fewn yr eglwys honno. Roedd y grŵp yma'n denu llawer o sylw oherwydd eu pregethu tanbaid, ac yn galw am ysbryd newydd mewn gwasanaethau yn yr eglwys. Roedden nhw eisiau gweld ysbryd mwy emosiynol, oedd yn pwysleisio perthynas bersonol â Duw. "Methodistiaid" oedden nhw'n galw eu hunain, oherwydd roedden nhw'n dilyn dull ('method') o ddarllen y Beibl, gweddïo a myfyrio. Ymunodd Ann yn ffurfiol â'r grŵp hwn pan oedd yn ugain oed.

Yn 1804, fe briododd Ann â dyn ifanc o'r enw Thomas Griffiths, a daeth ef i fyw i Ddolwar-fach. Cyn bo hir roedd Ann yn disgwyl plentyn. Gallai geni plentyn fod yn beryglus iawn yn y dyddiau hynny. Cafodd eu merch, Elizabeth, ei geni ar 13 Gorffennaf, ond bu farw'r baban a chafodd ei chladdu ar 31 Gorffennaf. Bu Ann ei hun farw'n fuan wedyn, a chladdwyd hi ar 12 Awst.

Dyma hanes byr a thrist – a hanes llawer iawn o fenywod dros y canrifoedd oherwydd peryglon geni plant. Pam felly rydyn ni'n cofio Ann Griffiths? Oherwydd iddi gyfansoddi barddoniaeth grefyddol ryfeddol, emynau sy'n cael eu cofio a'u canu hyd heddiw, dros ddau gan mlynedd ers iddi eu cyfansoddi. Maen nhw'n trafod materion crefyddol dwys ac yn dangos gwybodaeth fanwl o'r Beibl. Ond mae emosiwn dwfn ynddyn nhw hefyd.

Yn ôl yr hanes, byddai Ann yn cyfansoddi'r emynau hyn ar ôl cyfnod o fyfyrio a gweddïo. Byddai'n eu canu mewn llawenydd a gorfoledd. Ond dim ond ar yr aelwyd, ac yng nghwmni ei morwyn, Ruth, oedd hefyd yn ffrind agos iddi. Allai Ruth ddim ysgrifennu, ond dysgodd y penillion ar ei chof. Yna, byddai'n eu hadrodd i'w gŵr, er mwyn iddo'u hysgrifennu a'u cadw'n ddiogel. Dyna'r unig reswm pam rydyn ni'n gwybod am waith rhyfeddol Ann Griffiths.

Iolo Morganwg (1747–1826)

Hynafiaethydd dyfeisgar iawn oedd Iolo Morganwg (Edward Williams). Roedd yn gweithio fel saer maen, ac roedd wedi crwydro pob sir yng Nghymru, a'r tu hwnt i hynny, yn casglu gwybodaeth am hen feini hirion a chylchoedd cerrig. Casglodd hen lawysgrifau, a bathodd lawer o eiriau Cymraeg newydd ar gyfer dyfeisiadau a syniadau ei oes. Roedd yn athrylith greadigol, ac, fel eraill yn ei amser ef, ni welai fod unrhyw niwed mewn "creu" hen lawysgrifau a phapurau i gefnogi ei syniadau. Un

Iolo Morganwg a chofeb iddo (isod) ar Fryn y Briallu yn Llundain

o'i syniadau oedd fod barddoniaeth Gymraeg yn perthyn i draddodiad hynafol oedd wedi dechrau yn oes y Celtiaid. Aeth ati i sefydlu Gorsedd y Beirdd, i ddiogelu a ddathlu'r traddodiad hwn. Dyfeisiodd seremonïau hynod ar gyfer yr Orsedd, ac mae'r llechen isod ar Fryn y Briallu yn Llundain yn dangos lle cynhaliodd ei Orsedd gyntaf yn 1792. Cafodd ei gyffroi gan syniadau'r Chwyldro yn Ffrainc: "Bardd Rhyddid" oedd ei enw arno'i hun – a bu'n dadlau yn erbyn caethwasiaeth.

Mwnt Glyndŵr ger Glyndyfrdwy, Corwen – lleoliad un o lysoedd Owain Glyndŵr

DIRGELWCH YN Y TIR
Ble mae bedd Glyndŵr?

Does neb yn gwybod hyd heddiw lle mae Glyndŵr wedi ei gladdu. Mae llawer o wahanol syniadau am beth ddigwyddodd iddo ar ôl i gastell Harlech gael ei gipio yn 1409. Un peth sy'n sicr: doedd Glyndŵr ddim yn y castell. Ni chafodd ei gadw'n garcharor yn Lloegr. Roedd gan Glyndŵr deulu mawr, a llawer o ffrindiau ffyddlon hefyd. Oedden nhw'n rhoi llety iddo? Neu a oedd yn cuddio rywle ym mynyddoedd Cymru? Does neb yn gwybod i sicrwydd.

Ond mae tystiolaeth newydd am y gorffennol yn dal i gael ei ddarganfod, ac mae ganddon ni ddulliau newydd o'i hastudio hefyd. Yn 2012 profodd gwyddonwyr mai esgyrn y brenin Rhisiart III, a fu farw yn 1485, oedd wedi eu darganfod yn y pridd dan faes parcio yng Nghaerlŷr. Defnyddion nhw'r dechneg newydd o ddadansoddi DNA. Tybed a fydd rhywun ryw ddydd yn dod o hyd i fedd Glyndŵr – ac yn gallu profi hynny?

Dyma, yn ôl rhai ysgolheigion, dri lle a allai gynnwys gweddillion Owain Glyndŵr: Abaty Cwm-hir; eglwys Monnington-on-Wye ac eglwys Kimbolton.

1600		1700	
Diwydiant cynnar tua 1640	Twf porthladdoedd tua 1750		Peiriant stêm 1804
1600		1700	

Dyddiadau

Rhan 3: llinell amser

Cwestiynau

- Pa ddiwydiannau oedd y rhai cynharaf yng Nghymru?
- Beth oedd manteision y môr i Gymru?
- Pam oedd gwaith Richard Trevithick mor bwysig?

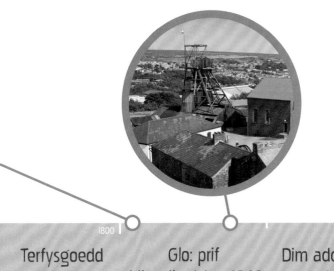

1800		1900
Terfysgoedd 1831–44	Glo: prif ddiwydiant tua 1840	Dim addysg Gymraeg tua 1860

REBECA

Dinistriwyd Gât y
Bolgoed gan Ferched
Beca dan eu harweinydd
Daniel Lewis
ar Orffennaf 6ed 1843

The Bolgoed Toll-gate
was destroyed on the
6th July 18...

- Pam gafodd baner goch ei chodi ym Merthyr?
- Pa mor dda oedd bywyd teuluoedd y glowyr?
- Beth oedd rhan ysgolion yn y broses o Seisnigo Cymru?

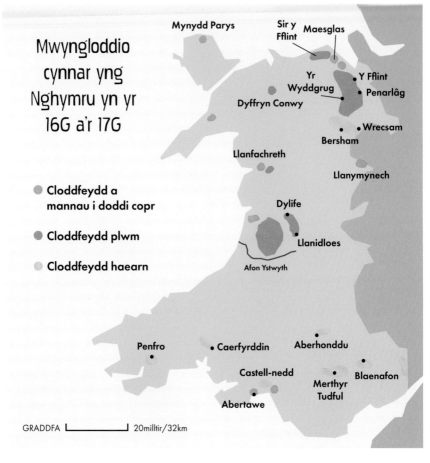

Mwyngloddio cynnar yng Nghymru yn yr 16G a'r 17G

● Cloddfeydd a mannau i doddi copr

● Cloddfeydd plwm

● Cloddfeydd haearn

Mynydd Parys
Sir y Fflint
Maesglas
Yr Wyddgrug
Y Fflint
Penarlâg
Dyffryn Conwy
Wrecsam
Bersham
Llanfachreth
Llanymynech
Dylife
Llanidloes
Afon Ystwyth
Penfro
Caerfyrddin
Aberhonddu
Castell-nedd
Blaenafon
Merthyr Tudful
Abertawe

GRADDFA |————————| 20milltir/32km

Ar ôl amser y ffermwyr cyntaf oll, cafodd coed Cymru lonydd am ganrifoedd, ac roedd hi'n wlad goediog iawn. Yna dechreuodd diwydiant ddatblygu yn yr 16G, a dechreuodd pobl gwympo'r coed eto, ond y tro hwn er mwyn eu defnyddio fel tanwydd i'r ffwrneisi haearn newydd.

Mae bardd anhysbys o'r 16G wedi cyfansoddi baled hir i brotestio yn erbyn difetha coedwigoedd Cwm Cynon, a dyma ddau bennill ohoni:

Coed Glyn Cynon

Aberdâr, Llanwnno i gyd,
Plwy Merthyr hyd Llanfabon,
Mwya adfyd a fu erioed
Pan dorred Coed Glyn Cynon.

Llawer bedwen las ei chlog
(Ynghrog y bytho'r Saeson!)
Sydd yn danllwyth mawr o dân
Gan wŷr yr haearn duon.

Diwydiant cynnar yng Nghymru

Mae pobl wedi bod yn gweithio'r mwynau metel sydd i'w cael yn nhir Cymru ers miloedd o flynyddoedd. Ond, erbyn hyn, ychydig iawn sydd i'w weld o'r diwydiannau cynnar hynny. Mae'r cloddio wedi dinistrio'r dystiolaeth, yr adeiladau wedi dadfeilio, a natur wedi gorchuddio'r safleoedd. Er enghraifft, mae ardal Blaenafon, yn y de-ddwyrain, wedi ei rhestru ymhlith safleoedd treftadaeth pwysicaf y byd. Ond ychydig iawn sydd i'w weld heddiw ar y moelydd uwchben y dref i ddangos bod pobl wedi bod yn gweithio mwynau yno ers mil o flynyddoedd. Rhaid i chi gael cymorth arbenigwr i ddangos olion yr hen weithfeydd i chi.

Ond o amser Elisabeth I ymlaen fe wnaeth rhai teuluoedd arian mawr drwy ddatblygu mwyngloddiau a phyllau glo. Roedd pwll glo Mostyn, Sir y Fflint, er enghraifft, wedi bodoli ers 1294. Ond pan brynodd Syr Roger Mostyn y pwll yn 1602 dechreuodd ymestyn y gweithfeydd

Offer cynnar yn siafft glofa Mostyn (chwith) a llun o safle'r lofa heddiw ar lan aber afon Dyfrdwy (dde)

drwy suddo pyllau newydd. Cyn bo hir dyma'r gwaith glo mwyaf yng Nghymru. Digwyddodd datblygiadau tebyg yn y diwydiant haearn yng ngogledd-ddwyrain Cymru yn yr un cyfnod. Roedd gwaith haearn yn Bersham erbyn 1640, ac yn ôl un hanes yma y cafodd rhai o'r arfau a ddefnyddiwyd yn y rhyfel cartref (1642–1651) rhwng y brenin a'r Senedd eu gwneud.

Olion gwaith haearn Bersham heddiw

Mae olion hen weithfeydd tebyg mewn gwahanol rannau o Gymru: plwm yn Sir y Fflint a Cheredigion, haearn yng nghymoedd y de, copr ym Mynydd Parys, ger Amlwch yng ngogledd Môn. Lle bynnag roedd hi'n bosib cael gafael ar y mwyn heb gloddio'n rhy ddwfn i'r ddaear, roedd yna weithfeydd. Doedd dim ffordd ddiogel o awyru na goleuo mwngloddiau dwfn. Yn yr un ffordd, byddai pyllau glo bychain yn cael eu cloddio lle bynnag roedd y glo'n brigo i'r wyneb. Yr arfer oedd palu i mewn i'r pridd, a chael cymaint o lo â phosib cyn i'r ddaear ddechrau suddo i mewn i'r pwll. Felly, roedd popeth ar raddfa gymharol fach yn y dyddiau hynny. Fe fydd pethau'n newid, fel y cawn weld.

Hen odynau calch ar Fynydd Helygain

Olion gwaith copr Mynydd Parys ger Amlwch, Môn

Llun o smeltio cynnar yn hen fynachlog Castell-nedd

Syr Humphrey Mackworth (1657-1727)

Ganed Syr Humphrey yn Swydd Amwythig. Pan briododd Mary Evans o Gastell-nedd, etifedd holl diroedd a chyfoeth ei thad, fe ddaeth Syr Humphrey yn berchennog ar yr hawl i weithio mwynau'r ardal. Roedd glo wedi cael ei gloddio yno ers blynyddoedd, ond penderfynodd Syr Humphrey ddatblygu'r mwyngloddiau copr lleol, gan ddefnyddio'r glo i doddi'r copr.

Dan ddaear yng ngwaith plwm Cwmystwyth gyda'r lefel Rufeinig i'w gweld yn glir

Dyn mentrus oedd Syr Humphrey, yn barod iawn i arbrofi gyda dulliau newydd ac ymestyn ei fusnes. Bu'n gyfrifol am ddechrau mwyngloddiau yng Ngheredigion yn 1698, ac yn 1704 sefydlodd gwmni o'r enw The Company of Mines Adventurers. Ef oedd un o'r rhai cyntaf i ddefnyddio rheiliau pren i hwyluso symud tramiau o lo a mwynau yn ei weithfeydd. Dyma ddechrau'r rheilffyrdd a ddaeth mor bwysig yn nes ymlaen, ganrif ar ôl i Syr Humphrey ei hun farw. Arbrofodd hefyd â'r syniad o osod hwyliau ar y tramiau er mwyn defnyddio pŵer y gwynt i symud y llwythi. Doedd hynny ddim mor llwyddiannus, ond mae'n dangos mor barod oedd pobl fel Syr Humphrey i fentro ac arbrofi.

Ond dyw pob menter ddim yn llwyddo; erbyn 1709 roedd cwmni Syr Humphrey yn fethdalwyr. Parhaodd i geisio datblygu ei weithfeydd, ond roedd ganddo ddiddordebau eraill hefyd. Fel dynion cyfoethog eraill, roedd yn Aelod Seneddol. Yr adeg honno roedd yn bosib i bobl felly gytuno rhyngddyn nhw pwy fyddai'n cael ei ethol i'r Senedd. Dim ond pobl gefnog oedd yn cael pleidleisio yn y dyddiau hynny. Daeth sawl un o ddisgynyddion Syr Humphrey yn Aelodau Seneddol hefyd.

Roedd Syr Humphrey yn ddyn crefyddol, a helpodd i sefydlu'r Gymdeithas er Lledaenu Gwybodaeth Grefyddol (SPCK). Rhoddodd arian i'r gymdeithas, a hefyd i sefydlu dwy ysgol i blant ei weithwyr, un yn Esgair Hir, Ceredigion, a'r llall yng Nghastell-nedd. Ar ben hynny, ysgrifennodd sawl llyfr am grefydd.

Olion hen waith mwyn Cwmystwyth

Hen ffwrneisi haearn Stepaside, Penfro

**Pont Bangor Is-coed, ger Wrecsam, a gafodd ei chodi yn 1663. Mae Wrecsam
wedi bod yn dref ddiwydiannol bwysig ers canrifoedd.**

Teithio a chyfathrebu

Wrth i ddiwydiant ddechrau datblygu yng Nghymru yn yr 16G a'r 17G,
dechreuodd rhai o'r bonedd oedd yn elwa ar hynny adeiladu pontydd
i hwyluso teithio. Roedd hyn yn helpu gyda chludo nwyddau yn y
gweithfeydd. Mae rhai o'r hen bontydd hyn yn dal i sefyll, ac yn hardd
iawn. Ac maen nhw hefyd yn dangos pa mor brysur a phwysig oedd yr
ardal honno yn y cyfnod pan gafon nhw eu hadeiladu.

Am ganrifoedd, roedd pob cymuned i fod i ofalu am ei ffyrdd ei hun.
Er bod hynny'n swnio'n eitha teg, roedd llawer yn dibynnu ar faint o
bobl, anifeiliaid a cherbydau oedd yn teithio ar hyd y ffyrdd hynny. Os
oeddech chi'n byw mewn ardal wledig, dim ond pobl o'ch cymuned chi
fyddai'n defnyddio'r ffyrdd yn rheolaidd. Ond beth os oeddech chi'n
byw yn agos at dref neu borthladd pwysig, neu waith glo neu haearn? A
ddylai'r bobl ddieithr oedd yn defnyddio'ch ffyrdd chi dalu tuag at y gost
o'u cadw'n ddiogel?

Erbyn diwedd yr 17G roedd y Senedd wedi dechrau cymryd
cyfrifoldeb am wneud yn siŵr fod y priffyrdd yn cael eu cynnal, trwy

sefydlu cwmnïau tyrpeg. Byddai pob cwmni yn codi clwyd ar draws y ffordd, a thŷ wrth ei hochr ar gyfer y dyn oedd yn gofalu am y glwyd. Yna, byddai'n rhaid i bob teithiwr dalu er mwyn i'r glwyd gael ei hagor. Byddai'r arian yn cael ei ddefnyddio i atgyweirio'r ffordd. Roedd hwn yn ddull poblogaidd o sicrhau bod y ffyrdd pwysicaf mewn cyflwr

Tŷ tyrpeg ar yr A5 ger Llangollen yn gartref i rywun o hyd

da. Roedd hi'n bosib gwneud elw hefyd drwy godi tâl uchel. Wedi'r cyfan, roedd yn rhaid i bawb ddefnyddio'r ffordd. Cafodd cannoedd o gwmnïau tyrpeg eu sefydlu ar draws y wlad yn y 18G, ac mae'n hawdd adnabod hen dŷ tyrpeg oherwydd ei siâp unigryw.

Roedd rhai o'r cwmnïau'n cystadlu â'i gilydd, ac yn gosod llawer o glwydi ar y ffyrdd oedd yn agos at drefi pwysig. Felly, mae llawer o'r hen dai hyn i'w gweld ar draws Cymru.

Dull mwy diogel o gario nwyddau trwm oedd defnyddio afonydd. Ond doedd dim llawer o afonydd Cymru yn addas ar gyfer hynny.

Pont Llanrwst (uchod), gafodd ei chodi yn 1636 yn ddolen rhwng Sir Gaernarfon a Sir Ddinbych; Pont Llanandras (dde) sy'n croesi afon Llugwy o Gymru i Loegr. Sawl enw lle yn cynnwys 'pont/bont' sydd yna yng Nghymru? Ar restr gwefan Enwau Hanesyddol Cymru mae dros 5,000 ohonyn nhw – mae hynny'n dangos mor bwysig ydy pontydd ar draws gwlad.

Crochendy Nantgarw ar lan y gamlas gyfleus a orffennwyd yn 1794 (chwith); y gamlas ger chwarel galch Llanymynech (dde)

Yn y 18G hefyd dechreuwyd arbrofi ag afonydd artiffisial – camlesi. Fel ffyrdd tyrpeg, daeth camlesi'n boblogaidd iawn, yn enwedig er mwyn cludo mwynau trwm fel glo a haearn i'r porthladd agosaf. Roedd hefyd yn ffordd ddiogel o gludo nwyddau llawer mwy bregus a chostus. Cafodd gweithfeydd porslen o safon uchel iawn eu sefydlu yn Abertawe a Nantgarw, yn rhannol oherwydd bod camlesi o fewn cyrraedd iddyn nhw.

Traphont Pontcysyllte sy'n cario camlas Llangollen dros afon Dyfrdwy (agorwyd yn 1805)

Llun o harbwr Aberystwyth, tua 1880–1899

Cymru a'r môr

O edrych ar fap o Gymru, fe welwch chi fod gan y wlad bedair ochr. Un ohonyn nhw yw'r ffin rhwng Cymru a Lloegr yn y dwyrain. Ond y môr sy'n ffurfio'r ochrau eraill – yn y gogledd, y gorllewin a'r de. Ar hyd yr arfordir hir hwn mae llawer o gilfachau cysgodol, aberoedd afonydd a mannau cyfleus eraill ar gyfer llongau. Dyw hi ddim yn daith hir dros y môr i Iwerddon yn y gorllewin, i Ynys Manaw a'r Alban yn y gogledd, ac i Loegr a Llydaw yn y de. Felly, dyw hi ddim yn syndod deall bod pob pentref ar arfordir Cymru wedi bod yn borthladd yn y dyddiau a fu. Yr adeg honno, roedd teithio dros y môr, er yn beryglus, yn gyflymach ac yn aml yn fwy diogel na theithio dros y tir.

Felly, mae hanes hir i borthladdoedd Cymru, ac mae olion yr hanes hwnnw i'w gweld yn glir, hyd yn oed mewn pentrefi bach fel Cwmtudu yng Ngheredigion a Solfach ym Mhenfro. Edrychwch am odyn galch ar y traeth: byddai llongau'n dod â llwythi o galchfaen i'r lan. Wedyn,

**Dadlwytho llong ar draeth Porth Ysgaden, Llŷn (chwith);
Cylch haearn i raffu llongau ym Mhorth-y-gest ger Porthmadog (dde).**

byddai hwnnw'n cael ei losgi er mwyn ei droi'n wrtaith ar gyfer y ffermydd. Yn y dyddiau gynt byddai'r traeth yn lle prysur: llongau hwyliau ar y traeth yn dadlwytho, a rhesi o geirt a cheffylau'n aros i gludo nwyddau i'r ffermydd.

I'r porthladdoedd bychain hyn y byddai nwyddau eraill yn cael eu mewnforio, a chynnyrch y ffermydd lleol yn cael ei allforio. Edrychwch am y cylchoedd haearn yn wal yr harbwr lle byddai llongau'n cael eu clymu. Mewn rhai llefydd fe welwch rigolau yn y graig – olion canrifoedd o olwynion ceirt.

**Ar ben hen odyn, Porth Ysgaden, Llŷn (chwith); odyn Cwmtudu, Ceredigion (dde).
Wrth i fwy a mwy o bobl Cymru weithio mewn diwydiant, roedd yn rhaid cynhyrchu mwy o fwyd. Drwy chwalu calch ar y tir, roedd y pridd yn mynd yn fwy melys ac roedd porfa'n tyfu'n well.**

Mae hanes Cymru a'r môr hefyd yn cynnwys straeon lliwgar am fôr-ladron, fel Syr Harri Morgan a Barti Ddu. Ond mae ochr dywyll hefyd i'r cysylltiad agos rhwng Cymru a'r môr. Nid nwyddau yn unig oedd llwythi rhai o longau Cymru. Ers talwm, roedd pobl yn cael eu cludo mewn llongau, i'w prynu a'u gwerthu fel nwyddau. Dyna fasnach greulon y caethweision. Am ganrifoedd byddai llongau'n hwylio o Ewrop i Affrica. Yno byddai'r morwyr yn defnyddio nwyddau rhad o Ewrop i brynu pobl fel caethweision. Wedyn bydden nhw'n cael eu cludo ar draws Môr Iwerydd i'w gwerthu yn ynysoedd y Caribî a rhannau eraill o America. Byddai'r

Maen coffa'r môr-leidr Barti Ddu yng Nghasnewydd-bach, Penfro

caethweision hyn yn gweithio yn y planhigfeydd siwgr. Roedd yn bosib gwerthu siwgr a rym, diod sy'n cael ei gwneud o siwgr, am bris mawr gartref yn Ewrop.

Erbyn hyn rydyn ni'n deall pa mor erchyll a chreulon oedd y fasnach gaethweision. Y fasnach hon mewn pobl oedd sail ffortiwn teulu Pennant yn y gogledd, perchnogion chwarel lechi'r Penrhyn ym Methesda. Defnyddiodd Richard Crawshay yr arian a wnaeth yntau o'r fasnach i ddechrau gwaith haearn mawr Cyfarthfa, Merthyr Tudful. Nid dyma'r unig rai i ennill cyfoeth fel hyn. Gwnaeth sawl teulu enwog yng Nghymru ffortiwn o'r fasnach hon, a'r elw oedd yn cynnal cannoedd o deuluoedd a busnesau ar hyd a lled y wlad.

Y diwydiannau glo, llechi, tun, gwlân, arian ac aur, a phlwm yn 1850

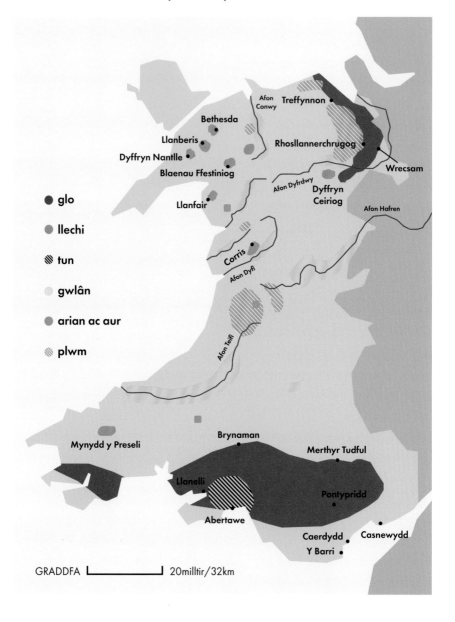

glo

llechi

tun

gwlân

arian ac aur

plwm

Afon Conwy

Treffynnon

Bethesda

Llanberis

Dyffryn Nantlle

Rhosllannerchrugog

Blaenau Ffestiniog

Wrecsam

Afon Dyfrdwy

Dyffryn Ceiriog

Llanfair

Afon Hafren

Corris

Afon Dyfi

Afon Teifi

Mynydd y Preseli

Brynaman

Merthyr Tudful

Llanelli

Pontypridd

Abertawe

Caerdydd

Casnewydd

Y Barri

GRADDFA 20milltir/32km

Datblygu diwydiannau Cymru

Ynghanol y 18G mae sawl peth yn dod at ei gilydd i newid bywyd pobl Cymru, a newid y math o olion fydden nhw'n eu gadael ar eu gwlad. Roedd y ffyrdd tyrpeg a'r camlesi yn hwyluso teithio a chludo nwyddau, yn enwedig y broses o gludo pethau trwm fel haearn, glo, cerrig adeiladu a llechi. Meddyliwch am y gwahaniaeth rhwng llwytho rhes o ferlod i gario cerrig a'u harwain dros ffyrdd garw mewn tywydd mawr – a llwytho'r un cerrig i gwch ar gamlas. Gall un ceffyl ar ei ben ei hun dynnu cwch sy'n cario'r un llwyth yn union ar gamlas.

Roedd dull newydd o symud nwyddau wedi datblygu hefyd. Dechreuodd pobl roi darn hir o bren ar hyd dwy ochr y ffordd er mwyn i olwynion cert symud yn fwy esmwyth dros ffordd arw neu fwdlyd. Roedd hynny'n gweithio'n dda, a datblygodd rhwydwaith o dramffyrdd mewn gweithfeydd metel a glo.

Roedd y rhan fwyaf o ddiwydiannau'n dal i gael egni a phŵer drwy ddulliau oedd wedi eu defnyddio ers miloedd o flynyddoedd – nerth pobl ac anifeiliaid, a phŵer dŵr a gwynt. Mae llawer o nentydd ac afonydd yng Nghymru – a digon o law i'w llenwi – ac mae hi hefyd yn wlad wyntog. Felly, roedd melinau dŵr a melinau gwynt yn arfer bod yn gyffredin iawn drwy'r wlad. Fe welwch eu holion ym mhobman. Ar un adeg roedd dros 90 o felinau gwynt yng Nghymru, a 49 o felinau gwynt yn Ynys Môn yn unig.

Ceffylau'n tynnu wagenni llechi yn y chwareli uwchben Blaenau Ffestiniog

Olwyn ddŵr fawr yn gefndir i lun, tua 1885, o ddynion, merched a bechgyn yng ngwaith enamlo llechi, Tywyn, Meirionnydd. Mae ci i'w weld yn aml mewn hen luniau o bobl wrth eu gwaith. Roedd – ac y mae – llygod mawr yn gyffredin iawn!

Ac roedd cannoedd o felinau dŵr yng Nghymru! Mae dros 200 o'r rheini'n dal i sefyll, ac wedi eu cofrestru fel adeiladau hanesyddol. Mae enwau lleoedd fel Melin Newydd, Hen Felin, y Felinheli, Melin Gruffudd ac yn y blaen yn gliwiau i'ch helpu i ddod o hyd i'r hen felinau hyn. Roedd y felin yn bwysig i'r gymuned. Byddai'n rhaid i bob ffermwr falu'r ŷd oedd wedi tyfu yn ei gaeau cyn iddo'i ddefnyddio neu ei werthu, ac roedd angen pŵer i bannu neu orffen brethyn gwlanen y ffermydd defaid. Mae enwau sy'n cynnwys y gair 'pandy' yn gliw i fodolaeth melin wlân, er enghraifft Pandy Tudur (Dyffryn Conwy) a Thonypandy (Cwm Rhondda).

Mae llawer o'r melinau dŵr yn adfeilion nawr, neu wedi eu troi'n gartrefi, neu wedi eu haddasu at bwrpas arall – yn rhan o ffatri, er enghraifft. Ond chwiliwch am feini'r hen felinau ŷd: mae'n anodd iawn eu dinistrio – neu eu symud!

Melin Llynnon, Môn, wedi ei hadfer ers 1976 – yr unig felin wynt sy'n dal i weithio yng Nghymru

Adfail hen felin yn Nhre-fin, Penfro

Darlun o hen felin ddŵr Swyddffynnon, Ceredigion

Maen melin mewn amgueddfa yng Nghenarth, Sir Gaerfyrddin

Olwyn ddŵr hen felin yn Aber-arth, Ceredigion

Ond ar ddechrau'r 19G datblygodd dull newydd o gael pŵer. Sylweddolodd Thomas Savery mor gynnar ag 1698 fod pŵer stêm yn medru cael ei ddefnyddio i weithio pympiau i godi dŵr o fwyngloddiau. Roedd stêm yn llawer mwy pwerus na'r hen ddulliau o symud peiriannau, ac roedd yn gyson – yn wahanol i ddŵr a gwynt.

Yn 1804 aeth dyn ifanc o Gernyw o'r enw Richard Trevithick ati i ddefnyddio pŵer stêm i dynnu cyfres o dramiau llwythog ar hyd rheilffordd. Dyma ddechrau oes newydd o drafnidiaeth, oes y rheilffyrdd a'r injan stêm.

Yn yr 1830au dechreuwyd defnyddio peiriannau stêm i dynnu cyfres o gerbydau yn cynnwys pobl yn ogystal â nwyddau. Yn gyflym iawn daeth rhwydwaith o reilffyrdd i gysylltu trefi â'i gilydd, ac am y tro cyntaf mewn hanes dechreuodd pobl deithio'n gyflymach na cheffylau.

Byddai'r dull newydd hwn o deithio yn gweddnewid y byd – ac amser. Cyn amser y rheilffyrdd byddai pobl yn dilyn yr haul, sy'n machlud yn hwyrach yn y gorllewin na'r dwyrain. O hyn ymlaen, roedd yn rhaid i bob cloc yn y wlad gadw'r un amser. Mae taith trên dros y tir yn gyflymach na thaith yr haul trwy'r awyr.

Ail-greu injan Richard Trevithick – mae'r copi hwn yn Amgueddfa Genedlaethol y Glannau, Abertawe

Datblygu'r diwydiannau yn y 19G

Datblygodd pob diwydiant yng Nghymru'n gyflym iawn yn y 19G, a chynyddodd maint a phŵer y gweithfeydd. Denwyd miloedd ar filoedd o bobl o'r ardaloedd gwledig i'r gweithfeydd hyn, ac felly datblygodd pentrefi fel Merthyr Tudful yn drefi mawr mewn ychydig o flynyddoedd. Yn ôl cyfrifiad 1801 roedd 7,705 o bobl yn byw yno; roedd 22,000 yno erbyn cyfrifiad 1831, a 46,000 yn 1851. Erbyn hynny Merthyr Tudful oedd y dref fwyaf yng Nghymru.

Dyna'r enghraifft fwyaf trawiadol, ond roedd yr un peth yn wir am ardaloedd diwydiannol eraill Cymru – cynnydd mewn gwaith yn arwain at gynnydd yn y boblogaeth.

Cludo nwyddau ar dramffordd gydag injan stêm mewn gwaith brics yn Sir y Fflint

Poblogaeth Siroedd Cymru 1801-1901

Sir	1801	1821	1841	1861	1881	1901
Aberteifi	42,956	57,784	68,766	72,245	70,270	61,078
Brycheiniog	32,325	43,826	55,603	61,627	57,746	54,213
Caerfyrddin	67,317	90,239	106,326	111,796	124,864	135,328
Caernarfon	41,521	58,099	81,093	95,694	119,349	123,481
Dinbych	60,299	76,428	88,478	100,078	111,740	131,582
Fflint	39,469	53,893	66,919	69,737	80,587	81,485
Maesyfed	19,135	22,533	25,458	25,382	23,528	23,281
Meirionnydd	29,506	34,382	39,332	38,963	52,038	48,852
Môn	33,806	45,063	50,891	54,609	51,416	50,606
Morgannwg	70,879	102,073	171,188	317,753	511,433	860,510
Mynwy	45,568	75,801	134,368	174,633	211,267	297,497
Penfro	56,280	73,788	88,044	96,278	91,824	87,894
Trefaldwyn	48,184	60,245	69,607	66,919	65,718	54,901
Cymru	**587,245**	**794,154**	**1,046,073**	**1,312,834**	**1,571,780**	**2,012,876**

Reference Wales, John May (Gwasg Prifysgol Cymru, 1994, tt. 18-19)

O 1801 ymlaen mae cyfrifiad wedi cael ei gynnal gan y llywodraeth bob deng mlynedd. Rhaid i bob person sy'n byw yn y wlad gael ei gyfrif ar noson y cyfrifiad. Gallwch ddysgu llawer am y gorffennol oddi wrth ganlyniadau'r cyfrifiad. Mae'r tabl hwn yn dangos yn glir sut y tyfodd poblogaeth Morgannwg rhwng 1801 a 1901.

Gwlad o drefi bychain, pentrefi a ffermydd oedd Cymru hyd at ddiwedd y 18G. Yn 1770 tua 500,000 o bobl oedd yn byw yng Nghymru. Erbyn 1851 roedd 1,163,000 yn byw yma. Bu twf enfawr ym mhoblogaeth rhannau o Gymru – siroedd Morgannwg a Mynwy yn bennaf yn y de ac ardal Wrecsam yn y gogledd-ddwyrain.

Diwydiannau un o gymoedd de Cymru yn 1825 drwy lygad yr arlunydd Penry Williams

Y Diwydiannau Mawr

Rhwng 1800 a 1900 newidiodd rhai o ddiwydiannau mawr Cymru olwg y wlad, ac mae ôl y diwydiannau hynny i'w weld yn glir heddiw. Edrychwch am y tomenni sbwriel, am adfeilion y gweithfeydd a'r pentrefi a'r trefi a adeiladwyd i'r gweithwyr. Gadawodd y diwydiannau hyn eu hôl hefyd ar yr amgylchfyd, ac ar iechyd y gweithwyr a'u teuluoedd.

Twneli tanddaearol yn hen waith copr Sygun, Beddgelert

Mae ôl y diwydiant **copr** i'w weld yn glir iawn ym Mynydd Parys, Môn, 200 mlynedd ar ôl i'r gwaith hwnnw orffen. Yn y 1780au hwn oedd y mwynglawdd copr pwysicaf yn y byd, ond erbyn 1831 doedd dim ond llond dwrn o fwynwyr ar ôl oherwydd doedd dim mwyn copr ar ôl. Ond mae'r twll anferth yno heddiw, yn tystio i'r gwaith rhyfeddol oedd yn digwydd yno. Trwy waith caib a rhaw yr oedd y cyfan yn cael ei wneud, ac roedd llawer o'r gwaith trwm hwn yn cael ei wneud gan fenywod – y copr ladis – a phlant, yn ogystal â dynion.

Erbyn 1800, roedd gweithfeydd **haearn** ardal Merthyr Tudful a Blaenafon yn datblygu'n gyflym. Yn yr ardal hon roedd y mwyn haearn yn brigo i'r wyneb, a bu ffwrneisi haearn yno ers cannoedd o flynyddoedd. Ond nawr roedd technegau newydd o weithio'r mwyn, gan ddefnyddio glo yn hytrach na choed yn y ffwrneisi. Roedd digon o lo ar gael yno hefyd, yn ogystal â'r calchfaen oedd yn cael ei ddefnyddio i buro'r haearn tawdd, a dŵr i weithio'r peiriannau. Gwnaeth dynion mentrus fel Richard Crawshay ffortiwn ym Merthyr. Mae Castell Cyfarthfa, cartref y teulu, yn dal i edrych draw dros safle gwaith haearn Cyfarthfa. Mae adfeilion rhai o ffwrneisi anferth y gwaith hwnnw i'w

Ffwrnais haearn ym Merthyr

gweld heddiw. Daeth miloedd i gael gwaith yn y gweithfeydd hyn. Er mor beryglus ydoedd, roedd yr arian yn dda!

Roedd yn rhaid adeiladu tai i'r gweithwyr, ac roedd y math o garreg sydd yn y pridd mewn rhai rhannau o Gymru yn arbennig o dda ar gyfer rhoi to cadarn ar adeilad. Mae toeon ar draws y byd wedi dod o chwareli **llechi** Cymru. Yng Ngwynedd yr oedd y nifer mwyaf o'r chwareli hyn. Chwareli'r Penrhyn ym Methesda a Dinorwig yn Llanberis oedd y ddwy chwarel lechi fwyaf yn y byd. Gallwch weld yno'r clogwyni lle byddai'r chwarelwyr yn gweithio yn yr awyr agored. A gallwch hedfan dros y chwarel ei hun heddiw ar Zip-wire! Bydd eich calon yn curo'n gyflym, ond meddyliwch am beryglon y gwaith ei hun. Mwyngloddio dan ddaear oedden nhw yn ardal Ffestiniog, ac mae modd i chi fynd 500 troedfedd/152 m dan ddaear yno i weld sut oedd y chwarelwyr yn gweithio mewn amodau llawn mor anodd, caled a pheryglus.

Roedd mwynau eraill fel aur, arian a phlwm wedi cael eu gweithio ers canrifoedd hefyd, ac mae olion y gweithfeydd hyn i'w gweld heddiw. Mae'n bosib ymweld â mwyngloddiau Dolaucothi, Sir Gaerfyrddin, lle bu mwynwyr yn chwilio am aur o amser y Rhufeiniad tan 1938.

Roedd mwynau eraill llai prydferth a gwerthfawr nag aur yn nhir Cymru. Mae adfeilion mwyngloddiau **plwm** ac **arian** mewn ardaloedd gwledig fel Bryn Tail, Powys; Cwmystwyth, Ceredigion a Mynydd Helygain, Sir y Fflint. Roedd y rhain hefyd yn ganolfannau diwydiannol pwysig yn eu dydd.

Cawr y diwydiannau hyn i gyd oedd y diwydiant **glo**. Roedd angen glo ar y diwydiannau eraill i gyd, fel tanwydd y ffwrneisi i doddi'r mwyn

Chwarel yr Oakeley, Blaenau Ffestiniog – un o'r tyllau chwarel mwyaf yn y byd, gyda'r agorfeydd isaf dan lefel y môr

Menyw yn gweithio yng ngwaith tun Clayton, Pontarddulais. Roedd llawer o wragedd yn gwneud gwaith trwm yn y gwahanol ddiwydiannau. Bydden nhw'n codi glo, yn tynnu tramiau yn y pyllau, ac yn malu'r mwyn copr gyda morthwylion ym Mynydd Parys a Drws-y-coed, Llanllyfni.

Big Pit, Amgueddfa Lofaol Cymru

i ddechrau, ac yna ar gyfer y peiriannau stêm newydd hefyd. Ar ben hynny, roedd galw mawr am lo i gynhesu'r holl adeiladau newydd. Ac roedd digonedd o lo i'w gael dan ddaear yn y cymoedd ar draws de Cymru. Ar hyd ochrau'r cymoedd cul hyn cafodd rhesi o dai eu hadeiladu, ac mae llawer o'r rhain i'w gweld heddiw. Mae'r pyllau glo eu hunain wedi diflannu nawr, ac mae llawer o'r tomenni sbwriel wedi cael eu clirio hefyd, ond mae'r tai a'r trigolion yma o hyd.

Stiwt y Glowyr,
Rhosllannerchrugog

Tai teras, Tredegar Newydd,
Cwm Rhymni

Mamau a'u teuluoedd yn disgwyl am newyddion ar ben y pwll glo yn Senghennydd, ger Caerffili, ym mis Hydref 1913. Bu ffrwydrad a thân yn y lofa. Lladdwyd 440 o ddynion a bechgyn oedd wedi symud i'r cwm o bob rhan o Gymru i chwilio am waith a chyflogau gwell. Hon oedd y ddamwain ddiwydiannol waethaf erioed yn hanes Prydain.

Mae adeiladau crand porthladdoedd y glo fel Caerdydd, Casnewydd, y Barri ac Abertawe yn brawf o bwysigrwydd a chyfoeth y diwydiant. Codwyd adeilad mawreddog y Gyfnewidfa Lo ger dociau Caerdydd yn 1883 fel canolfan i brynu a gwerthu'r glo fyddai'n cael ei allforio i bedwar ban byd – mewn llongau stêm oedd hefyd yn defnyddio glo. Yn 1913 allforiwyd 37 miliwn o dunelli o lo o'r porthladdoedd hyn – 98.8% ohono wedi ei dorri â chaib.

Yn y strydoedd o gwmpas y porthladdoedd hyn ddaeth ymfudwyr o bedwar ban byd i fyw. Datblygodd cymunedau amlethnig yn ardaloedd y dociau. Mae'r Eglwys Norwyaidd ger adeilad Senedd Cymru yno'n ein hatgoffa am y tunelli o goed o'r wlad honno a fewnforiwyd i Gymru ar gyfer y gweithfeydd, ac am forwyr mentrus o Norwy fel tad Roald Dahl. Os cerddwch chi o amgylch yr eglwys, fe welwch chi eiriau mewn llawer o ieithoedd gwahanol wedi eu naddu i'r cerrig wrth eich ochr. Dyma enghreifftiau o'r holl ieithoedd oedd i'w clywed yn y dociau hyn pan oedd yn brifddinas y Brenin Glo!

Cerflun teulu'r glo yn Llwynypia. Roedd gwaith dan ddaear yn beryglus bob amser – i'r glöwr ac i'w wraig. Ym mhyllau maes glo Cymru y digwyddodd bron hanner yr holl ddamweiniau angheuol ym mhyllau glo Prydain gyfan rhwng 1880 ac 1900. Ac roedd llawer mwy o ddamweiniau llai difrifol, a allai ei gwneud yn amhosib i löwr weithio eto. Dioddefai iechyd gwragedd y glowyr yn fwy fyth, oherwydd diffyg gofal a'r gwaith caled, diddiwedd o gadw'r tŷ yn lân. Roedd llwch y glo yn yr awyr ym mhobman.

Amodau byw'r gweithwyr yn y trefi diwydiannol

Roedd yn rhaid i'r holl bobl hyn gael cartrefi i fyw ynddyn nhw, a rhaid oedd gofalu bod y trefi newydd yn lân. Doedd yr hen ddulliau o wneud hyn ddim yn cwrdd â'r gofynion newydd. Y canlyniad oedd fod amodau byw a gweithio yn y trefi a'r pentrefi diwydiannol yn wael iawn, yn frwnt ac yn beryglus i iechyd. Byddai mwy nag un teulu'n byw yn yr un tŷ, ac yn cymryd pobl i fyw atyn nhw. Byddai sawl tŷ yn rhannu'r un toiled, ac yn aml iawn roedd yn rhaid cerdded yn bell i gael dŵr i olchi a choginio.

Roedd angen newid yr hen ddulliau o redeg cymdeithas. Ond, yn anffodus, doedd dim llais gan y gweithwyr cyffredin yn y ffordd yr oedd y wlad yn cael ei rheoli, na sut i wella eu hamodau byw a gweithio. Teimlai pobl yn grac ac yn rhwystredig, a bydden nhw'n dangos hynny drwy brotestio. Yn aml, byddai'r protestiadau hyn yn troi'n derfysg. Dyna beth ddigwyddodd ym Merthyr Tudful yn 1831.

Dic Penderyn – maen ar wal Llyfrgell Carnegie, Merthyr Tudful

Llun o'r Faner Goch yn cael ei chodi am y tro cyntaf erioed ym Merthyr yn 1831. Ers hynny, hon yw baner protestiadau'r gweithwyr ledled y byd.

Yr ymgyrch i gael pleidlais

Yn 1830 bu'r Senedd yn trafod y posibilrwydd o adael i fwy o bobl bleidleisio i gael rhywun i siarad drostyn nhw yn y Senedd. Ers y dechrau, dim ond dynion oedd yn berchen ar dir oedd â'r hawl i bleidleisio. Roedd ychydig o eithriadau i hynny – er enghraifft, mewn rhai trefi roedd pobl wedi etifeddu'r hawl i bleidleisio. Ond roedd y rhan fwyaf o bobl heb bleidlais o gwbl, ac roedd y gyfundrefn gyfan yn sigledig iawn. Roedd modd prynu pleidleisiau ac roedd yn rhaid bwrw neu roi eich pleidlais yn gyhoeddus. Ffafrio'r bobl gyfoethog yr oedd yr hen gyfundrefn hon. Ond er bod llawer o blaid ceisio gwella'r trefniadau, a'u gwneud yn fwy teg, roedd llawer yn ofni hynny, gan gredu y gallai arwain at chwyldro gwaedlyd.

Castell Cyfarthfa, lle roedd teulu'r Crawshays yn byw. Nhw oedd yn berchen rhai o weithfeydd haearn mwyaf Merthyr.

Ond roedd pobl eisoes yn dechrau gwrthryfela. Roedd protest ym Merthyr Tudful yn 1831 wedi troi'n ymladd ffyrnig, a chafodd llawer eu lladd. Doedd dim heddlu yn y dyddiau hynny, a'r unig ffordd oedd gan y llywodraeth o dawelu terfysg oedd anfon milwyr i godi ofn ar y terfysgwyr a saethu atyn nhw hefyd.

Pasiwyd deddf i newid neu ddiwygio'r Senedd yn 1832, ond cafodd llawer o bobl eu siomi ganddi. Roedd llawer o derfysgoedd ledled Prydain o hyd, ac yn 1836 cafodd Siarter y Bobl ei gyhoeddi. Roedd hwn yn gofyn am nifer o welliannau, gan gynnwys rhoi'r bleidlais i bob dyn dros 21 a sicrhau ei bod yn bosib pleidleisio'n ddirgel. Trefnwyd deiseb i'w rhoi i'r Senedd, yn gofyn i'r aelodau dderbyn y Siarter. Ond gwrthododd y Senedd y cais, a phob ymgais arall wedyn i droi Siarter y Bobl yn gyfraith y wlad.

Cofebau Beca ym Mhontarddulais ac Efail-wen

Cafwyd cyfres o derfysgoedd yn yr 1830au drwy Brydain gyfan. Roedd rhai'n galw am weithredu'r Siarter, a rhai'n digwydd oherwydd tlodi neu annhegwch yn y gwaith. Fe welwch chi gofebau i gofio rhai o'r terfysgoedd hyn yn Sir Benfro a Sir Gaerfyrddin, ac yn nhrefi Llanidloes a Chasnewydd, lle bu'r Siartwyr yn weithgar iawn. Ymdeithiodd cannoedd o Siartwyr o'r gweithfeydd yn y cymoedd i Gasnewydd ym mis Tachwedd 1839, a lladdwyd nifer ohonyn nhw mewn sgarmes waedlyd yng nghanol y dref yno.

Rhwng 1839 ac 1846, ymosododd pobl gorllewin Cymru ar y tollbyrth. Roedd llawer iawn ohonyn nhw yn yr ardal, ac roedd y cwmnïau'n defnyddio dulliau annheg o geisio codi tollau. Felly byddai dynion yn gwisgo fel menywod, fel na fyddai'n bosib eu hadnabod. Yna, bydden nhw'n mynd allan gyda'r nos, yn ymosod ar y tollbyrth ac yn eu dinistrio. Mae adnod yn y Beibl yn sôn am Rebeca yn meddiannu porth y rhai roedd hi'n eu casáu, ac mae'n debyg mai dyna pam y cafodd y terfysg hwn yr enw Terfysg Merched Beca.

John Frost (1784-1877)

Ganed John Frost yng Nghasnewydd, ond cafodd ei fagu ym Mryste. Dysgodd grefft teiliwr, a sefydlu busnes yng Nghasnewydd yn 1806. Llwyddodd ei fusnes, a daeth yn ddyn pwysig yn y dref. Roedd Frost yn ddyn deallus ac yn llawn egni. Cafodd ei ethol i Gyngor y Dref yn 1835. Credai'n gryf mewn hawliau dynol. Doedd Frost ddim yn cytuno â rhai dynion

John Frost

pwysig eraill, yn enwedig Clerc y Dref, Thomas Prothero, a Syr Charles Morgan, y dyn pwysicaf a mwyaf cyfoethog yn yr ardal.

Dechreuodd Frost feddwl mai dim ond drwy roi'r bleidlais i bob dyn y byddai'n bosib gwella pethau. Roedd yn cefnogi Siarter y Bobl yn gryf, a byddai'n dadlau'n gyhoeddus drosto.

Does dim rhyfedd iddo gael ei ddewis yn arweinydd gan y llu o Siartwyr oedd yn galw am ymgyrch arfog yn erbyn yr awdurdodau creulon ac annheg. Yr hyn sy'n rhyfedd, efallai, yw fod Frost ei hun wedi

Pont y Siartwyr a chofeb y Siartwyr yn y Coed-duon

Maen coffa'r rhai a laddwyd yng Nghasnewydd ac a gafodd eu claddu rywle ym mynwent Eglwys Gwynllyw Sant yn y ddinas

Darlun o orymdaith y Siartwyr yn chwalu wrth i filwyr danio arni o westy'r Westgate, Casnewydd

dadlau yn erbyn defnyddio arfau. Er hynny, penderfynwyd ymosod ar Gasnewydd ar 3 Tachwedd 1839. Roedd Frost yn ei ddagrau pan glywodd hynny.

Doedd yr ymosodiad ddim yn llwyddiannus ac fe gafodd Frost ei arestio. Bu'n rhaid iddo fynd i'r llys ym mis Ionawr 1840, ac fe gafodd ef a dau o'r arweinwyr eraill eu dedfrydu i gael eu dienyddio fel bradwyr – eu crogi, eu tynnu a'u chwarteru. Dyma'r tro olaf i'r ddedfryd erchyll honno gael ei chyhoeddi. Bu protestio yn erbyn y ddedfryd, a phenderfynwyd alltudio Frost a'i ffrindiau i Awstralia am byth.

Ond parhaodd yr ymgyrch dros Frost, ac yn 1854 fe gafodd bardwn. Daeth yn ôl i fyw at ei deulu ym Mryste. Hyd ddiwedd ei oes, daliodd ati i ddadlau dros hawliau dynol a'r angen i roi pleidlais i bob dyn. Cyn iddo farw, fe welodd y bleidlais yn cael ei rhoi i dros filiwn arall o ddynion gan Ail Ddeddf Diwygio'r Senedd, 1867.

Dihiryn neu ddyn drwg oedd Frost ym marn y rhan fwyaf o bobl ar ôl beth ddigwyddodd yn 1839. Ond wrth i syniadau'r Siartwyr gael eu gwireddu, newidiodd y farn amdano. Mae sawl cofeb iddo nawr, ac mae sgwâr canolog Casnewydd wedi ei enwi ar ei ôl, yn ogystal ag un o ysgolion uwchradd y ddinas.

Elizabeth Miles (1847-1930)

Dyn oedd yn brwydro dros newid pethau annheg yn ei oes oedd John Frost. Menyw oedd yn brwydro i wneud bywoliaeth iddi hi ei hun a'i phlant oedd Elizabeth Miles, gan fanteisio ar bob cyfle a gafodd.

Elizabeth Miles

Pan fu farw ei gŵr yn 1869, roedd Elizabeth Miles yn fam i ddau blentyn bach iawn. Felly, roedd yn rhaid iddi ddod o hyd i ffordd o gynnal ei theulu. Dechreuodd redeg tafarn fach yn y Rhondda, gyda help ei nith ac un ferch ifanc arall. Dyma'r cyfnod pan oedd pyllau glo'r Rhondda'n datblygu'n gyflym, a channoedd o ddynion ifanc yn dod i'r ardal i chwilio am waith – a llety.

Cyn bo hir roedd Mrs Miles yn rhedeg tafarn fwy, ac yna un fwy fyth, gyda mwy a mwy o bobl i'w helpu. Erbyn 1886 roedd hi'n rhedeg y gwesty mwyaf ym Mhontypridd. Roedd hi hefyd yn berchen ar sawl busnes arall yn y dref honno ac yn y trefi cyfagos.

Yn 1897 gwelodd gyfle arall. Roedd wedi dod yn ffasiynol i bobl fynd i "drefi'r ffynhonnau" – Llanfair-ym-Muallt, Llanwrtyd a Llandrindod. Mae'r gair "Wells" yn enwau Saesneg y trefi hyn yn ein hatgoffa am bwysigrwydd y ffynhonnau yno. Credai pobl fod dŵr ffynhonnau'r ardal yn help i'w hiechyd. Fe fydden nhw'n mynd yno am wyliau er mwyn "cymryd y dŵr". Roedd nifer o westai yn Llandrindod, a phenderfynodd Mrs Miles brynu un ohonyn nhw.

Pan brynodd hi'r Bridge Hotel, roedd yn westy parchus, gyda lle i ryw 40 o westeion. Yn ystod y blynyddoedd nesaf, ehangodd Mrs Miles y gwesty nes bod lle yno i 200 o bobl, a newid ei enw i'r Metropole. Erbyn 1923 hwn oedd y gwesty mwyaf yng Nghymru, ac un o'r rhai mwyaf moethus a modern hefyd.

Gwesty'r Metropole, Llandrindod; tap dŵr haearn o un o ffynhonnau'r dref

Symudodd Mrs Miles yn ôl i Bontypridd i ymddeol yn 1925, gan drosglwyddo'r Metropole i ofal ei phlant. Eu disgynyddion nhw sy'n berchen y Metropole hyd heddiw. Ac mae llun o Mrs Miles ei hun yng nghyntedd y gwesty, yn croesawu ymwelwyr o hyd.

Rheilffyrdd Cymru erbyn 1914

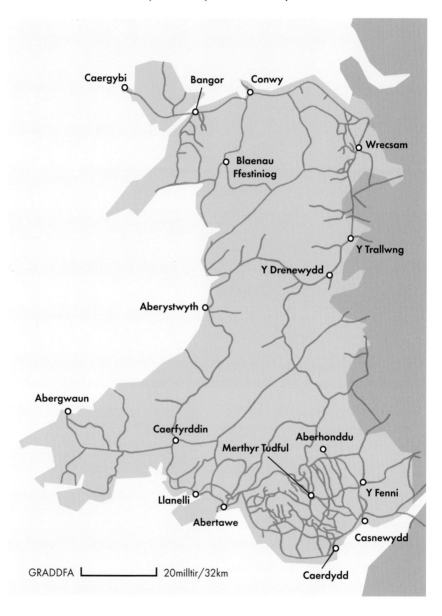

Elusendai yn Llanrwst

Tloty Llanfyllin sydd bellach yn amgueddfa. Mae'n dangos sut fywyd oedd gan y bobl oedd yn byw yn 'y Wyrcws'.

Gwelliannau

Ond er gwaethaf y terfysgoedd hyn, ac efallai oherwydd y terfysgoedd, dechreuodd pethau wella yn ystod ail hanner y 19G. Roedd y Llywodraeth wedi dechrau ymchwilio i amodau gweithio yn y diwydiannau. Aeth ati i basio deddfau i wella pethau. Cafodd cyflogi plant mewn pyllau glo a ffatrïoedd ei wahardd. Roedd yn rhaid i bob ardal ofalu am bobl dlawd a methedig, a sicrhau bod plant yn cael addysg. Hefyd, roedd yn rhaid i'r trefi adeiladu systemau carthffosiaeth a dŵr glân i'r tai. Dechreuodd rhai pobl gyfoethog roi mwy o sylw i les eu gweithwyr hefyd. Adeiladon nhw ysgolion i blant eu gweithwyr, elusendai i'r henoed, ysbytai i gleifion ac i'r rhai oedd wedi cael eu hanafu yn y gwaith. Roedden nhw hefyd yn aelodau o'r pwyllgorau oedd yn sefydlu tlotai ac ysbytai i gleifion iechyd meddwl.

Mae'n bosib gweld llawer o adeiladau o'r cyfnod hwn o hyd. Mae rhai'n edrych yn hardd. Ond mae rhai ohonyn nhw, yn enwedig yr ysbytai a'r tlotai, yn edrych yn debyg i garchardai. Er bod pobl gyfoethog nawr yn barod i helpu rhai llai ffodus na nhw, doedden nhw ddim yn meddwl y dylen nhw gael amser da!

O tua 1850 ymlaen, roedd pobl yn adeiladu gyda hyder, gan ddisgwyl i'w gwaith barhau i sefyll am amser hir. Dyma gyfnod adeiladau mawr, balch, fel y capeli ac eglwysi sydd i'w gweld ym mhob

Tref heddiw, ac mewn llawer o
bentrefi hefyd. Bellach mae llawer
ohonyn nhw wedi cau, neu wedi
eu troi'n gartrefi neu'n fusnesau.
Edrychwch am ddyddiadau arnyn
nhw sy'n dweud wrthoch chi pryd
cawson nhw eu hadeiladu.

Roedd rhwydwaith o reilffyrdd
yn ei gwneud yn bosib teithio'n
gyflym, yn ddiogel ac yn
gymharol rad. Gwnaeth y
rheilffyrdd hi'n haws cludo
nwyddau trymion i'r trefi mawr ac
i'r porthladdoedd. Yn ail hanner
y 19G mae llawer o drefi Cymru
yn tyfu'n gyflym, ac roedd y tai o
ansawdd mor dda fel eu bod yn

Capel Mawr Tal-y-sarn, Dyffryn Nantlle, sydd wedi'i gau erbyn heddiw

dal yn gartrefi clyd heddiw, fel y tai isod yn y Drenewydd, Rhymni, a
adeiladwyd yn yr 1830au, bron 200 mlynedd yn ôl.

To llechi sydd i'r tai hyn. Mae tai'r pentrefi llechi, o Ros-y-bwlch, Sir
Benfro, i Fethesda, Gwynedd, yn debyg iawn ac yn perthyn i'r un cyfnod
– ac fel y tai isod ym Mlaenau Ffestiniog, sydd â'u llechi a'u muriau
wedi'u torri o chwareli'r mynyddoedd o'u cwmpas.

Oherwydd yr holl gyfoeth a'r holl adeiladu, roedd yr adeiladau
diwydiannol hefyd yn fawr, yn solet ac wedi eu cynllunio i sefyll am

Tai teras solet, gyda thoeon llechi, yn y Drenewydd, Rhymni

Tref Blaenau Ffestiniog dan gysgod tomennydd rwbel llechi'r chwareli

Porthladdoedd

Cafodd y porthladd yng
Nghaergybi ei sefydlu
drwy ddeddf seneddol yn
1845. Erbyn 1906, roedd
gwasanaeth fferi ar gael
rhwng Abergwaun ac
Iwerddon. Cynyddodd y
galw fel bod porthladdoedd

**Stemars yr Irish Mail ym mhorthladd
Caergybi yn 1925**

Doc Penfro ac Abertawe hefyd yn cynnig gwasanaeth tebyg. Erbyn
dechrau'r 21G, datblygodd Caergybi i fod yn borthladd pwysig yn
y fasnach rhwng Ewrop ac Iwerddon. Datblygodd porthladdoedd a
threfi ar hyd arfordir de-ddwyrain Cymru yn sgil y fasnach lo. Yn 1881,
dim ond 85 o bobl oedd yn byw yn y Barri. Yna, yn 1889, agorodd y
diwydiannwr David Davies borthladd yno ar gyfer cynnyrch ei byllau glo
yng Nghwm Rhondda. Erbyn 1913, y Barri oedd porthladd allforio glo
prysuraf yn y byd, ac roedd tua 40,000 o bobl yn byw yno.

Cerflun David Davies yn y Barri

Ysgol ym Mangor – adeiladwyd cannoedd o ysgolion tebyg i hon ledled Cymru yn ail hanner y 19G

gannoedd o flynyddoedd. Ond nid dyna ddigwyddodd. Erbyn dechrau'r 20G roedd olew a thrydan yn dechrau disodli glo a stêm, ac roedd newidiadau mawr eraill ar y gorwel.

Seisnigo Cymru

Fe fyddwch wedi sylwi, efallai, fod y geiriau ar y plac hwn yn Saesneg, er bod mwyafrif pobl Cymru'n siarad Cymraeg ar y pryd. Saesneg oedd unig iaith swyddogol Cymru ers amser Harri VIII, er bod y rhan fwyaf o'r Cymry yn siarad Cymraeg yn unig yn y dyddiau hynny, ac am ganrifoedd wedyn. Erbyn diwedd y 19G Saesneg oedd iaith addysg, iaith y llysoedd barn, iaith popeth o bwys yn y byd.

Dysgodd llawer o bobl i siarad Saesneg, wrth gwrs, ond roedd y Cymry wedi dewis dal ati i siarad Cymraeg. Efallai fod hynny oherwydd ei bod yn bosib byw a gweithio heb ddefnyddio Saesneg. Ond efallai fod hynny hefyd oherwydd eu bod nhw'n caru eu hiaith, ac yn ei chysylltu â'r cartref, nid byd gwaith a busnes. Roedd y ffaith fod eu crefydd mor bwysig iddyn nhw, a bod ganddyn nhw Feibl yn Gymraeg, yn cryfhau hynny. Cymraeg oedd iaith gwasanaethau capeli'r Anghydffurfwyr yn yr ardaloedd oedd yn siarad Cymraeg. Rhwng 1734 ac 1779 roedd llawer o'r Cymry wedi dysgu darllen ac ysgrifennu yn Gymraeg wrth fynd i ysgolion teithiol oedd yn cael eu trefnu gan y Parchedig Griffith Jones. Ond, ar ôl i'r cynllun hwnnw ddod i ben, roedd safon yr ysgolion yn amrywio'n fawr iawn, er bod yna ysgolion ar gael i'r rhai oedd eisiau i'w plant gael addysg. Roedd yr addysg yno yn Saesneg hefyd, a gallai rhieni ddewis anfon eu plant i'r ysgol – neu beidio.

Enghraifft o Welsh Not – cafwyd hyd iddo dan lawr ysgol ym Mangor

Llun cyfoes yn cyfleu effaith y Welsh Not ar blentyn

Y Dosbarth Bach yn Ysgol Pentreuchaf, Llŷn, yn 1926

Ond, o 1870 ymlaen, roedd yn orfodol i bobl pob ardal ddewis pwyllgor i sefydlu ysgol i blant rhwng 5 a 12 mlwydd oed, os nad oedd ysgol ar gael yn yr ardal honno. Roedd llawer o ysgolion ar gael cyn hynny, wedi eu sefydlu gan yr eglwys neu'r capeli, neu gan bobl gyfoethog oedd yn credu mewn addysgu plant. O 1880 ymlaen roedd yn orfodol i bob plentyn rhwng 5 a 10 oed fynd i'r ysgol. Roedd y gwersi yn yr ysgolion hyn yn iaith swyddogol y wlad, sef Saesneg. Mewn rhai ysgolion byddai plant yn cael eu cosbi am siarad Cymraeg.

Mae nifer o'r ysgolion cynradd gafodd eu hadeiladu yn y 19G yn dal yn ysgolion heddiw, fel ysgol Pentreuchaf, Pwllheli. Mae'n hawdd eu hadnabod: adeiladau un llawr, gyda ffenestri mawr, uchel, fel na allai'r plant edrych allan, ond canolbwyntio ar eu gwersi. Dim ond un ystafell fawr oedd yn yr ysgolion hyn i ddechrau. Byddai'r plant i gyd yn cael eu dysgu gyda'i gilydd, ac roedd disgwyl i'r plant hŷn helpu'r plant iau gyda'u gwaith.

Doedd neb yn cyfrif faint o bobl oedd yn siarad Cymraeg hyd 1881. Felly, dydyn ni ddim yn gwybod i sicrwydd pryd ddechreuodd rhai Cymry ddewis siarad Saesneg yn unig yn hytrach na'r Gymraeg. Ond erbyn canol yr 20G roedd pobl yn dechrau ofni y byddai'r iaith Gymraeg yn marw, a dechreuodd pobl ymgyrchu er mwyn ceisio'i hachub.

Vulcana (Miriam Kate Williams, 1874-1946)

Erbyn diwedd y 19G roedd y byd yn newid yn gyflym, ac mae mwy a mwy o bobl ddifyr yn dod i'r amlwg. Un ohonyn nhw yw Miriam Kate Williams, a aned yn y Fenni yn 1874. Roedd yn ferch i bregethwr, ond dewisodd hi fywyd gwahanol iawn.

Roedd gymnasiwm i ferched newydd ei sefydlu yn y Fenni, a dechreuodd Kate fynd yno pan oedd yn 15 mlwydd oed. Cwympodd mewn cariad â'r perchennog, dyn priod hŷn na hi, a rhedodd y ddau i ffwrdd gyda'i gilydd. O hynny ymlaen, bydden nhw'n ennill eu bywoliaeth drwy arddangos campau nerth a ffitrwydd. Roedd hyn cyn adeg y sinema, pan oedd theatrau poblogaidd mewn bri, a chafodd Miriam – dan yr enw Vulcana – lawer o sylw.

Perfformwyr oedd hi a'i gŵr, ac roedd mwy na thipyn o dwyll yn eu honiadau am eu galluoedd ac yn eu "campau" hefyd. Doedd y pwysau "trwm" ddim bob amser mor drwm â hynny! Ond daeth y ddau'n boblogaidd iawn, yn enwedig yn Ffrainc, ac mae digon o dystiolaeth gadarn o allu Vulcana.

DIRGELWCH YN Y TIR

Pam na chafodd Pont Hafren ei hadeiladu yn 1845?

Pont Hafren, 1966

Cafodd y bont gyntaf i groesi afon Hafren ei hagor yn 1966. Ond roedd cynlluniau manwl ar gyfer pont debyg wedi eu cyhoeddi yn 1845 gan ddyn o Nant-y-glo, Gwent. Roedd Samuel Baldwyn Rogers yn wyddonydd a dyfeisiwr rhyfeddol. Dyfeisiodd ffordd newydd o gynhyrchu haearn a ddaeth yn boblogaidd iawn. Ysgrifennodd lyfr safonol ar feteleg oedd yn cael ei ddefnyddio am flynyddoedd, ac roedd yn llawn syniadau ymarferol ac arloesol.

Cafodd nifer o syniadau Samuel Rogers eu gweithredu – ond wnaeth hynny ddim digwydd am rai blynyddoedd ar ôl iddo farw yn 1863. Roedd eisiau sefydlu ysgol mwyngloddio yn ne Cymru: cafodd ysgol debyg ei sefydlu yn Nhrefforest, Pontypridd, yn 1913. Cynigiodd sefydlu cronfa i helpu glowyr oedd wedi eu hanafu yn y gwaith: dechreuodd cronfa debyg yn 1919. Ac yn 1966 agorwyd pont dros afon Hafren yn yr union le yr oedd Samuel Rogers wedi ei awgrymu.

Samuel Baldwyn Rogers

Ni fu Rogers fyw i weld gwireddu ei freuddwydion, ac ni chafodd elwa ar ei holl welliannau technegol. Cafodd ei gyfraniad ei gydnabod wedi iddo farw'n ddyn tlawd ar ôl cyfnod hir o salwch. Ei ofn mwyaf ar ei wely angau oedd cael ei gladdu fel cardotyn. Trwy garedigrwydd ffrindiau fe roddwyd ei weddillion i orffwys yn yr un bedd â'i wraig, bedd dienw ym mynwent eglwys fach Llanffwyst ger y Fenni. Bu farw'r olaf o'i blant yn y tloty yng Nghasnewydd.

'Dyn o flaen ei oes' yw'n disgrifiad cyffredin o rywun sy'n arloesi'n llwyddiannus. Ond mae'n bosib bod yn rhy flaengar, yn rhy bell o flaen eich oes – a dyna oedd hanes Samuel Baldwyn Rogers.

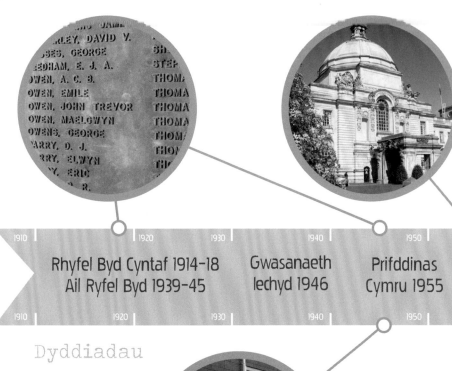

Dyddiadau

| 1910 | 1920 | 1930 | 1940 | 1950 |

Rhyfel Byd Cyntaf 1914–18
Ail Ryfel Byd 1939–45

Gwasanaeth
Iechyd 1946

Prifddinas
Cymru 1955

| 1910 | 1920 | 1930 | 1940 | 1950 |

Rhan 4: llinell amser

Cwestiynau

- Beth oedd mor newydd ynglŷn â chofebau milwyr y Rhyfel Byd Cyntaf?
- Beth oedd cyfraniad Cymru i greu'r Gwasanaeth Iechyd?

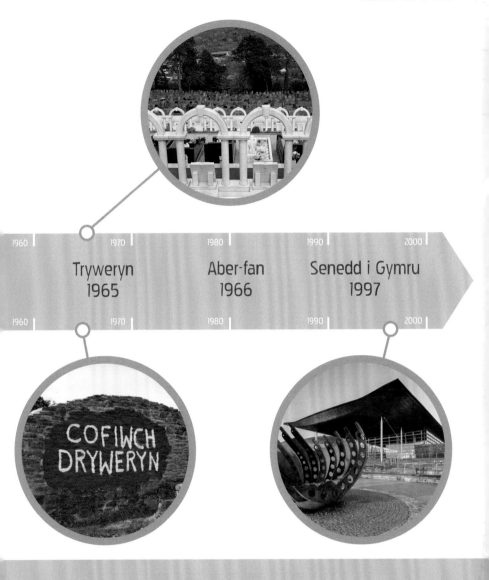

1960	1970	1980	1990	2000

Tryweryn
1965

Aber-fan
1966

Senedd i Gymru
1997

1960	1970	1980	1990	2000

- Pa ddinas yw'r brifddinas ieuengaf yn Ewrop?
- Pam fod dŵr yn destun dadl boeth yng Nghymru?
- Beth ddigwyddodd yn Aber-fan?
- Faint o amser a aeth heibio cyn i Gymru gael Senedd unwaith eto?

Canrif y werin

Erbyn 1900 roedd bywyd llawer o bobl Cymru wedi gwella, ond roedd rhai'n dal i deimlo nad oedd pethau'n deg i bawb. Roedd cyflogau'r gweithwyr yn isel, er bod perchnogion y diwydiannau a'r meistri tir yn gwneud arian mawr. Roedd cyflwr llawer o dai yn dal yn wael, a llawer, gan gynnwys plant, yn byw ar y stryd. Roedd pobl gyfoethog yn dal i godi tai mawr, crand, gyda gweision a morynion i ofalu amdanyn nhw. Er bod llawer o ofynion Siarter y Bobl wedi cael eu derbyn, dim ond 60% o ddynion oedd yn gallu pleidleisio, a doedd dim pleidlais o gwbl gan fenywod.

Yn 1908 cafodd Prydain Ganghellor newydd, ac roedd ganddo syniadau newydd. Ei enw oedd David Lloyd George. Roedd yn Gymro ac roedd am wella bywyd pobl dlawd Prydain. Y Canghellor sy'n penderfynu sut mae gwario'r arian y mae'r Llywodraeth yn ei dderbyn o'r trethi. Aeth Lloyd George a'i gefnogwyr yn y Senedd ati i newid sut oedd yr arian yn cael ei wario. Dechreuodd peth o arian y trethi yn awr fynd i dalu pensiwn i hen bobl a rhoi rhywfaint o incwm i bobl oedd ddim yn gallu gweithio oherwydd salwch. Roedd pobl dlawd ledled Prydain yn canmol Lloyd George, ac roedd yn arwr i bobl Cymru!

Daeth Lloyd George yn fwy o arwr eto mewn ychydig flynyddoedd, pan aeth Prydain i ryfel yn erbyn yr Almaen. Dyma ddechrau'r Rhyfel Byd Cyntaf, a doedd pethau ddim yn mynd yn dda i Brydain ar y dechrau. Yna, yn 1916, fe ddaeth Lloyd George yn Brif Weinidog Prydain. Erbyn diwedd 1918 roedd Prydain a'r Almaen wedi dod â'r ymladd i ben.

Roedd Lloyd George eisiau diolch i'r bobl gyffredin am weithio'n galed dros eu gwlad adeg y rhyfel. Yn 1918 pasiwyd deddf oedd yn rhoi'r bleidlais i bob dyn dros 21, ac i fenywod hefyd – os oedden nhw dros 30 oed. Roedd yn rhaid aros am ddeg mlynedd arall cyn i fenywod gael y bleidlais ar yr un telerau â dynion.

Cofeb fodern sy'n dangos bywyd pobl Tiger Bay yn ardal y dociau yng Nghaerdydd gynt. Bae Caerdydd yw enw'r ardal heddiw. Mae enw'r cerflun yn dweud y cyfan: 'Pobl Fel Ni'.

Cofebau

Mae sawl cerflun o Lloyd George wedi ei godi – un ger y Senedd yn Llundain, un yng Nghaernarfon (roedd yn Aelod Seneddol dros Gaernarfon), ac un yng nghanol Caerdydd. Dyna oedd yr arfer yn y dyddiau hynny – codi cerfluniau i ddangos parch tuag at ddynion pwysig. Fe welwch chi lawer ohonyn nhw ar hyd a lled y wlad. Dau beth sy'n gyffredin iddyn nhw i gyd: (1) dynion ydyn nhw – does dim cerfluniau tebyg o fenywod; (2) mae llawer o'r dynion hyn oedd mor bwysig yn eu dydd wedi eu hanghofio bellach.

Roedd pobl hyderus y 19G yn hoff iawn o godi cerfluniau i'w harwyr. Roedd llawer o'r arwyr hyn wedi ennill clod fel milwyr, eraill yn arwyr dim ond oherwydd eu bod yn gyfoethog, neu oherwydd iddyn nhw gael swyddi pwysig.

Ond ar ddiwedd y Rhyfel Byd Cyntaf fe ddigwyddodd rhywbeth newydd. Roedd miloedd ar filoedd o ddynion ifanc wedi cael eu lladd yn y

Cofeb genedlaethol i'r Cymry a fu farw yn y rhyfeloedd byd, Parc Cathays, Caerdydd

Yn hytrach na geiriau milwrol am 'anrhydedd' ac 'arwyr', mae barddoniaeth Gymraeg i'w gweld ar rai cofebau rhyfel Cymru. Mae rhai – fel hon ym Mhen-y-groes, Gwynedd – yn cyfeirio at y milwyr a laddwyd fel 'bechgyn' a 'hogiau'. Pan godwyd cofeb i Hedd Wyn, y bardd o Drawsfynydd a laddwyd yn y rhyfel, gwisg bugail sy'n cael ei dangos – nid lifrai milwr.

rhyfel, ac fe benderfynwyd codi cofebau iddyn nhw. Am y tro cyntaf roedd dynion cyffredin yn cael eu cofio ar gofebau swyddogol. Mae cofeb ryfel ym mhob tref a phentref, bron, trwy Brydain, ac arnyn nhw mae enwau pob un fu farw yn yr ymladd. Weithiau mae'r gofeb yn eu rhestru yn ôl pa mor bwysig oedd eu swyddi yn y lluoedd arfog, ond weithiau, fel ar y gofeb hon (dde, uchod), nid yw hynny'n cael ei nodi.

Erbyn heddiw mae pobl yn teimlo bod angen dathlu bywyd pobl gyffredin mewn cerfluniau a chofebau.

Cangen swffragwyr heddychlon Caerdydd gyda'u baner

Pleidlais i Fenywod

Er i fenywod dros 30 gael yr hawl i bleidleisio yn 1918, roedd rhai menywod wedi bod yn ymgyrchu dros hyn ers blynyddoedd. Cynhaliodd Rose Crawshay gyfarfod ym Merthyr Tudful i drefnu deiseb i'r Senedd yn gofyn am y bleidlais i fenywod yn 1866. Cafodd ei gwrthod, a dyna oedd hanes y deisebau tebyg eraill a drefnwyd yn ystod yr hanner canrif ddilynol.

Ond roedd y mudiad yn tyfu, ac yn 1913 cafodd rali fawr ei threfnu yn Llundain i alw am y bleidlais. Gorymdeithiodd menywod o bob rhan o Gymru i'r rali hon. Roedden nhw'n pwysleisio eu bod am ennill y bleidlais trwy ddulliau cyfreithlon a heddychlon. Roedd hynny oherwydd i fudiad newydd gael ei sefydlu yn 1908, yn galw ar fenywod i weithredu'n dreisgar i dynnu sylw at eu hachos. Cafon nhw eu galw'n swffragetiaid.

Cafodd canghennau o'r mudiad newydd hwn eu sefydlu yng Nghymru hefyd – cangen Caerdydd mor gynnar ag 1908. Roedd y protestiadau treisgar hyn yn sicr yn tynnu sylw. Byddai'r swffragetiaid yn torri ffenestri, yn rhoi blychau post ar dân ac yn torri ar draws cyfarfodydd cyhoeddus fel yr Eisteddfod Genedlaethol – a hynny hyd yn oed yn ystod areithiau Lloyd George!

Ni chafodd menywod y bleidlais ar yr un telerau yn union â dynion tan 1928. Er i fenywod dros 30 gael y bleidlais yn 1918, roedd amodau i hynny, hyd yn oed.

Siarabáng wrth droed allt y Rhiw, Llŷn

Newid Byd

Wrth i'r 20G fynd yn ei blaen,
dechreuodd mathau newydd o
danwydd, fel olew a thrydan, ddod
yn fwy poblogaidd. Doedd hyn ddim
yn beth da i rai o ddiwydiannau
Cymru, ac fe wnaethon nhw ddioddef
oherwydd hynny. Ar yr un pryd roedd
yn dod yn haws mewnforio bwyd o
wledydd pell, ac roedd y ffermwyr
yn dioddef o ganlyniad i hynny. Felly,
roedd dauddegau a thridegau'r 20G

**Rhes o geir Ford yng Ngheredigion;
garej gynnar yn nhref Dinbych**

yn flynyddoedd caled iawn. Aeth llawer o bobl i Loegr i chwilio am
waith, neu dramor, i Unol Daleithiau America, Canada neu Awstralia.

Ond yn y blynyddoedd hyn daeth pethau newydd i wneud bywyd
yn haws i'r rhai oedd yn medru eu fforddio. Daeth y car modur yn
boblogaidd, ac mae olion ambell garej gynnar yng Nghymru o hyd.

Daeth bysiau'n boblogaidd hefyd. A dyma ddechrau gwyliau ar lan y
môr i'r rhai allai fforddio hynny, a theithiau mewn cerbydau hir, agored –
y siarabángs.

A dyma pryd y daeth y sinema'n boblogaidd. Mae llawer o'r sinemâu
cynnar wedi cau neu eu troi'n neuaddau bingo neu'n dafarndai, ond
mae rhai o'r adeiladau yno o hyd.

Yr Ail Ryfel Byd

Er bod pobl ar y pryd yn credu mai'r Rhyfel Byd Cyntaf fyddai'r rhyfel byd-eang olaf am byth, nid felly y bu. Aeth gwledydd Ewrop i ryfel eto yn 1939, a phan ddaeth heddwch yn 1945, roedd newidiadau eraill wedi digwydd i'r byd, ac i Gymru hefyd.

Hen sinema'r Market Hall wedi'i hadfer ym Mryn-mawr

Un peth oedd y dinistr oedd wedi cael ei achosi gan y bomio o'r awyr. Cafodd miloedd o bobl eu lladd, a chartrefi, ffatrïoedd, ffyrdd, pontydd a rheilffyrdd eu dinistrio. Diflannodd darn mawr o ganol Abertawe mewn tair noson o fomio yn 1941, gan ladd 230 o bobl.

Cafodd cymunedau eraill eu dinistrio hefyd – mewn ffyrdd gwahanol. Cymerodd y fyddin ddarnau o'r wlad er mwyn hyfforddi milwyr ar gyfer

Ffotograff o effaith y bomio yng nghanol Abertawe

y rhyfel. Yr ardal fwyaf enwog o'r rhain yng Nghymru oedd ardal Mynydd Epynt. Cafodd 219 o bobl eu symud o'u ffermydd yn 1939, ac mae'r holl ardal yn dal i gael ei defnyddio gan y fyddin o hyd. Does neb yn byw yno nawr.

Roedd y llywodraeth yn poeni y byddai'r gelyn yn ymosod ar Brydain o'r môr. Felly, cafodd rholiau anferth o wifrau pigog eu gosod ar y traethau, yn ogystal â darnau mawr o goncrit. Mae'r rhan fwyaf o'r rhain wedi diflannu erbyn hyn, ond fe welwch chi ambell floc o goncrit o hyd fan hyn a fan draw. Codwyd adeiladau ar gyfer gynnau hefyd, ac mae llawer o'r rhain i'w gweld o hyd.

Mae tanciau'n dal i ymarfer yng Nghastellmartin, Penfro.

Rhes o amddiffynfeydd concrit i'w gweld o hyd ar aber Mawddach, Meirionnydd.

Mae'r lloches saethu yma uwchben yr harbwr yn Aberystwyth.

Baner goch yn rhybudd uwchben hen ffermdy ar Fynydd Epynt. Dim ond wrth rif rydych chi'n gallu adnabod adfail y fferm heddiw.

23

FARM
No. 7

Y Wladwriaeth Les

Pan gafodd heddwch ei gyhoeddi
yn 1945, roedd pobl eisiau gweld
bywyd yn gwella. Roedd cynlluniau
wedi eu paratoi yn ystod y rhyfel
i wella ysgolion ac i gario mlaen
â'r gwaith a wnaeth Lloyd George
yn diogelu lles yr hen, y tlawd a'r
amddifad. Cafodd llawer o dai
oedd wedi eu hadeiladu yn y 19G

Cegin fodern mewn arddangosfa 'Cynlluniwch eich cartref' ar gyfer tai newydd a oedd yn cael eu codi yn dilyn yr Ail Ryfel Byd.

eu clirio. Roedden nhw wedi dirywio i fod yn slymiau. Symudwyd y bobl i
dai newydd gyda chyfleusterau modern – fel ystafell ymolchi a thoiled yn
y tŷ. Mae'r tai hyn yn edrych yn hen ffasiwn iawn i ni heddiw, ond roedd
pawb yn eu hedmygu ar y pryd!

Ond y newid mwyaf oedd dyfeisio ffordd o sicrhau bob pob un person
yn y wlad yn cael gofal iechyd yn rhad ac am ddim. Dyma ddechrau'r
Gwasanaeth Iechyd Gwladol. Cyn hynny roedd yn rhaid talu am ofal
meddyg. Yn rhyfedd iawn, o gofio am waith Lloyd George, Cymro
arall o'r enw Aneurin Bevan oedd yn gyfrifol am sefydlu'r Gwasanaeth
Iechyd Gwladol.

**Tai yng Nghaerdydd wedi eu dinistrio yn ystod bomio'r ddinas yn yr
Ail Ryfel Byd, Ionawr 1941**

Aneurin Bevan (1897-1960)

Cafodd Aneurin Bevan ei eni yn
fab i löwr yn Nhredegar, Gwent.
Nid oedd yn hoffi'r ysgol, ac aeth
i weithio dan ddaear gyda'i dad
pan oedd yn 13 oed. Gwelodd
pa mor dlawd oedd pobl yr ardal
ac nad oedd y cwmnïau oedd yn
berchen ar y pyllau yn trin y glowyr
yn deg. Roedd ganddo ddiddordeb mewn gwleidyddiaeth, a chredai mai
dim ond trwy ddefnyddio'u pleidlais y gallai pobl wella eu byd.

Daeth yn aelod o'r Blaid Lafur ac o'r cyngor lleol yn 1928, ac
yna yn Aelod Seneddol Glyn Ebwy yn 1929. Roedd yn llawn egni,
yn benderfynol ac yn huawdl iawn. Roedd eisiau gallu siarad yn
gyhoeddus, er bod ganddo atal dweud. Felly, dysgodd ei hun i siarad
yn well drwy gerdded ar y bryniau uwchben Tredegar, yn gweiddi ei
areithiau yn erbyn y gwynt. Roedd yn alluog iawn hefyd, ac yn barod i
frwydro dros yr hyn oedd yn iawn yn ei farn ef. Cyn bo hir, fe ddaeth yn
enwog am ei areithiau tanbaid a'i ddawn dweud finiog.

Mae hen fynwent Cefn Golau ym mlaenau'r Cymoedd yn atgof o safonau
isel iechyd yno ar un adeg. Dyna lle roedd y rhai fu farw o golera yn cael eu
claddu – ymhell o bobman. Ond mae Ysbyty Aneurin Bevan yng Nglyn Ebwy
erbyn hyn (uchod) yn ein hatgoffa o'r gwleidydd a sefydlodd y Gwasanaeth
Iechyd, er lles pawb.

Daeth yn Weinidog Iechyd yn 1945, ac aeth ati i sefydlu gwasanaeth cenedlaethol tebyg i Gymdeithas Feddygol Gweithwyr Tredegar. Roedd llawer yn erbyn ei gynlluniau, ond roedd gan Aneurin Bevan yr egni a'r gallu i'w trechu. Roedd cofio marwolaeth greulon ei dad yn 1925 yn ei ysbrydoli hefyd. Roedd ei dad wedi marw fel canlyniad i anadlu'r llwch dan ddaear.

Dyn ymosodol oedd Aneurin Bevan, ac roedd yn hoffi gwrthdaro a dadlau brwd. Yn 1948 disgrifiodd y rhai oedd ddim yn cytuno ag ef fel "lower than vermin". Cyn bo hir roedd wedi cwympo allan ag arweinwyr ei blaid ei hun. Ni chafodd unrhyw swyddi o bwys ar ôl 1951, a bu farw yn 1960.

Ond mae pobl Cymru yn ei gofio o hyd. Mae cerflun ohono yng nghanol Caerdydd, ac mae sawl stryd wedi ei henwi ar ei ôl. Mewn arolwg barn yn 2004, dewiswyd Aneurin Bevan yn arwr mwyaf Cymru.

Cofeb Aneurin Bevan ar un o brif strydoedd Caerdydd heddiw

Swyddfa Cymdeithas Feddygol Gweithwyr Tredegar: dyma fan cychwyn syniadau Aneurin Bevan am wasanaeth iechyd gwladol

Dymchwel capel yn hen bentref Llanwddyn er mwyn creu un o gronfeydd dŵr Cwm Elan

Tryweryn

Mae nifer o lynnoedd yng Nghymru, ac er bod rhai ohonyn nhw, fel Llyn Tegid ger y Bala, yn llynnoedd naturiol, mae llawer iawn ohonyn nhw'n rhai artiffisial. Cronfeydd dŵr ydyn nhw ar gyfer trefi cyfagos. Fe gafodd nifer mawr eu creu yn ystod y 19G, wrth i drefi a diwydiant ddatblygu.

Cafodd rhai o'r llynnoedd hyn eu creu ar gyfer trefi gorllewin Lloegr, fel Birmingham a Manceinion. Roedd Llyn Efyrnwy, Powys, a gafodd ei orffen yn 1889, wedi ei greu ar gyfer dinas Lerpwl. Er bod y llynnoedd artiffisial hyn mewn mannau gwledig, roedd eu creu yn golygu boddi ffermydd ac, weithiau, pentrefi cyfan. Boddwyd pentref Llanwddyn gan ddŵr Llyn Efyrnwy.

Doedd dim llawer o wrthwynebiad i hyn ar y pryd. Efallai fod hynny oherwydd doedd dim llais gan bobl gyffredin mewn penderfyniadau fel hyn. Byddai cyngor y ddinas yn gofyn am ganiatâd y Senedd i greu cronfa ddŵr er mwyn cael dŵr i'r bobl, ac fe fyddai'r Senedd yn rhoi caniatâd. Ychydig o bobl oedd yn byw yn ardaloedd gwledig Cymru o'i gymharu â'r miloedd oedd yn byw yn ninasoedd Lloegr.

Ond pan wnaeth Cyngor Dinas Lerpwl gais yn 1960 am gronfa ddŵr arall yng Nghymru, yn ardal Tryweryn y tro hwn, roedd pethau wedi newid. Erbyn hyn, roedd pleidlais gan bawb dros 21 oed, ac roedd llawer o bobl Cymru yn erbyn boddi un arall o bentrefi'r wlad. Roedd protestio brwd yn erbyn cais Lerpwl. Pan aeth y cais o flaen y Senedd

Apêl trigolion Cwm Tryweryn ar strydoedd Lerpwl (chwith); plant Capel Celyn cyn i'r ysgol gael ei chau a'i dymchwel (dde)

yn Llundain, pleidleisiodd 35 allan o 36 o Aelodau Seneddol Cymru yn erbyn rhoi caniatâd. Ond roedd 594 o aelodau i gyd yn y Senedd. Collwyd y bleidlais, a chafodd Cyngor Dinas Lerpwl ganiatâd i greu Llyn Celyn yn Nhryweryn.

Daliodd pobl Cymru ati i brotestio, ac fe gafodd dau ddyn eu hanfon i garchar am osod ffrwydron ar y safle. Bu'n rhaid gorfodi pobl pentref Capel Celyn i adael eu cartrefi, ac roedd y cyfan i'w weld ar y teledu. O hynny ymlaen, roedd mwy a mwy o bobl yng Nghymru yn gofyn am annibyniaeth. Mae'r geiriau "Cofiwch Dryweryn", gafodd eu peintio ar wal ar y ffordd rhwng Aberystwyth ac Aberaeron, wedi dod yn slogan poblogaidd iawn yng Nghymru yn ddiweddar.

Y graffiti ar y gofeb wreiddiol ar adfail ger Llanrhystud wedi'i adnewyddu ac un o nifer o gopïau a wnaed ohono yn 2019 ar fan ym Mhenrhyndeudraeth

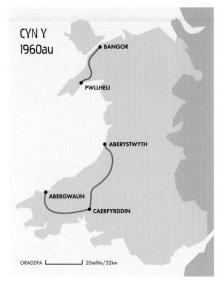

Dau fap yn dangos teithiau rheilffyrdd – rhwng Pwllheli a Bangor, a rhwng Aberystwyth ac Abergwaun – cyn ac ar ôl cau llawer o reilffyrdd Cymru yn y 1960au

Ffatrïoedd a phriffyrdd

Roedd llawer o newidiadau yn digwydd yn y 1960au, o ran gwaith, trafnidiaeth, ffasiwn a cherddoriaeth.

Roedd ffatrïoedd newydd yn cael eu hadeiladu i gymryd lle'r hen byllau glo, y chwareli llechi a'r ffwrneisi haearn. Gan fod mwy a mwy o beiriannau'n cael eu defnyddio ar ffermydd, roedd angen llai o bobl i weithio ar y tir. Roedd mwy a mwy o bobl yn medru fforddio mynd ar wyliau tramor, ac yn gallu prynu car hefyd, ac roedd lorïau'n cael eu defnyddio i gludo nwyddau.

Roedd rheilffyrdd wedi cysylltu llawer o lefydd ar lan y môr gyda threfi mawrion. Daeth gwyliau ar lan y môr yn boblogaidd iawn. Ond newidiodd hynny yn y 1960au hefyd. Doedd trefi glan y môr ddim mor boblogaidd, a doedd dim cymaint o bobl yn teithio ar y trên.

Roedd rhai llinellau bach wedi cael eu cau cyn yr Ail Ryfel Byd. Ond yn y 1960au cafodd 6,000 o filltiroedd o reilffyrdd, allan o gyfanswm o 18,000 o filltiroedd, eu cau ledled Prydain. Diflannodd llawer o reilffyrdd bach cefn gwlad, fel y llinell rhwng Hendy-gwyn ac Aberteifi

Un o drenau lein y Cardi Bach yng ngorsaf Aberteifi cyn codi'r cledrau

– rheilffordd y Cardi Bach. A bellach, doedd dim angen y llinellau rheilffordd oedd wedi eu hadeiladu ar gyfer y diwydiannau trwm. Mae nifer ohonyn nhw wedi eu troi'n llwybrau cerdded a beicio erbyn hyn. Eto, prin yw'r ffyrdd da sy'n hwyluso teithio o fewn Cymru.

Ffatri Berlei Glyn Ebwy yn 1951

Er bod hiraeth ar ôl yr hen ffyrdd o fyw, gweithio a theithio, roedd teimlad cryf ymhlith pobl ifanc fod y byd yn perthyn iddyn nhw, nid eu rhieni. Roedden nhw'n croesawu'r ffasiynau newydd a cherddoriaeth bop, ac yn hoffi gweithio mewn swyddfeydd a ffatrïoedd glân, diogel – a newydd sbon. Roedden nhw'n credu hefyd y byddai'n bosib newid y byd drwy alw ar bawb i garu ei gilydd a rhoi'r gorau i ryfel a thrais.

Dau olwg ar ffyrdd Cymru: (uchod, chwith) Pont Britannia a'r A55 i Gaer; (uchod, dde) yr M4 o dde Cymru i Lundain

Priffordd goll?

Mae un cip ar fap o briffyrdd Cymru yn dangos mai'r ddwy briffordd bwysig yw'r A55 ar hyd arfordir y gogledd, a'r M4 yn y de. Adeiladwyd y ffyrdd hyn i gysylltu porthladdoedd fferi Cymru gyda threfi mawrion Lloegr. Yn 1979 cafodd yr A470 ei nodi fel ffordd gyswllt 186 milltir/299 km rhwng Llandudno a Chaerdydd. Ond mae llawer o rannau gwael arni, ac mae'n mynd trwy ganol rhai trefi a phentrefi o hyd.

Rhai o droeon cul yr A470 yn nhref Llanrwst ac wrth Bont yr Afanc, ger Betws-y-coed

Cymry a heddwch

Mae Cymru wedi bod yn amlwg mewn ymgyrchoedd heddwch ar draws y byd. Un enw ar Henry Richard (1812–1888), gweinidog ac Aelod Seneddol Ceredigion, oedd 'Apostol Heddwch'. Bu'n ysgrifennydd y Gymdeithas Heddwch am 40 mlynedd ac yn ymgyrchu yn erbyn caethwasiaeth.

Yn 1923 casglodd menywod Cymru Ddeiseb Heddwch anferth, a'i chyflwyno gyda 390,296 o enwau arni, i sefydliad y Smithsonian yn Washington yn annog America i ymuno â Chynghrair y Cenhedloedd.

Doedd pawb o bobl Cymru ddim yn hapus gyda phenderfyniad y llywodraeth yn Llundain i ddwyn tir Cymru i ymarfer ar gyfer y rhyfel. Felly, aethon nhw ati i brotestio yn erbyn y llywodraeth. Yn 1936, fe wnaeth tri aelod amlwg o Blaid Cymru roi gwersyll yr Ysgol Fomio ym Mhenyberth, Llŷn, ar dân, ar ôl blynyddoedd o ymgyrchu ar draws Cymru.

Bu ymgyrch lwyddiannus yn 1946 i warchod Mynydd y Preseli rhag mynd i ddwylo'r fyddin. Ac yn 1951 bu protestio a gorymdeithio i atal y fyddin rhag meddiannu mwy o dir yn Nhrawsfynydd.

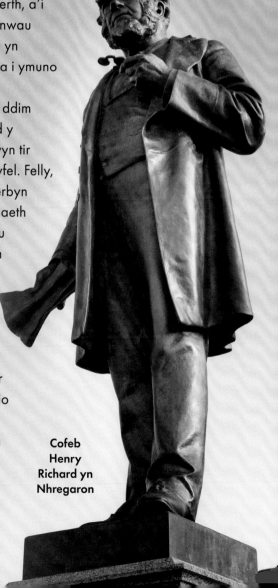

Cofeb Henry Richard yn Nhregaron

Roedd yna beryg mawr y byddai'r Rhyfel Oer rhwng America a Rwsia yn troi'n rhyfel niwclear yn y 1970au. Anfonodd America arfau niwclear i'w storio yng ngwersyll RAF Greenham Common yn ne Lloegr. Ym mis Medi 1981 cyrhaeddodd grŵp o fenywod o Gymru, Women for Life on Earth, y safle. Fe wnaethon nhw sefydlu gwersyll heddwch parhaol y tu allan i'r ffens oedd yn gwarchod safle'r fyddin. Aeth yr ymgyrchu yn fwy difrifol pan ddechreuodd y menywod geisio atal cerbydau'r fyddin rhag mynd i mewn ac allan o'r gwersyll ym mis Mawrth 1982. Arestiwyd 34 o fenywod ac fe gafodd Helen Thomas o Gymru ei lladd yn dilyn gwrthdrawiad ag un o gerbydau'r heddlu. Daeth y gwersyll i ben yn 2000 pan gafodd yr arfau niwclear eu cario yn ôl i America, a chwalwyd y ffensys. Mae gardd goffa i Helen Thomas yno bellach, â meini o Gymru o'i chwmpas.

Mainc gafodd ei gosod i gofio Helen Thomas yn ei thref enedigol, Castellnewydd Emlyn, yn 2011

Cofeb i'r tri a losgodd yr Ysgol Fomio ym Mhenyberth, Llŷn, yn 1936

Protest fawr i atal y fyddin rhag meddiannu mwy o dir yn Nhrawsfynydd yn 1951

Senedd i Gymru?

Bron 600 mlynedd ar ôl senedd olaf Glyndŵr, cafodd Cymru ei senedd ei hun yn 1999. Penderfynwyd ar hynny drwy Refferendwm Datganoli 1997. Llais y bobl yw refferendwm – fel arfer, dim ond un cwestiwn sy'n cael ei ofyn ac mae'r ateb yn syml: ie neu na.

Ystyr 'datganoli' yw symud y gallu i wneud penderfyniadau yn nes adref. Y syniad y tu ôl i hynny yw ei bod yn well cael ateb lleol i broblemau lleol. Ystyr hynny yn 1997 oedd symud y pŵer o Lundain i senedd yng Nghymru, a hynny mewn rhai meysydd yn unig, fel addysg, iechyd, gofal plant a'r henoed, a'r amgylchedd. Roedd pobl Cymru wedi gwrthod y syniad o ddatganoli mewn refferendwm cynharach yn 1979, ond wedi pleidleisio 'Ie' yn 1997 – ond dim ond o fwyafrif bychan. Eto, pan gafodd refferendwm arall ei gynnal yn 2011, roedd mwyafrif o 4 i 1 o bobl Cymru yn dymuno cael mwy o bwerau i'w Senedd. Erbyn hynny, roedd rhai o bob plaid wleidyddol yn cefnogi rhoi mwy o bwerau i Senedd Cymru.

Erbyn diwedd y 19G roedd pobl amlwg yn y Blaid Ryddfrydol, fel Lloyd George, yn awyddus i Gymru gael yr hawl i'w rheoli ei hun ond wnaeth hynny ddim digwydd. Yna yn 1925, sefydlwyd Plaid Cymru; ei phrif nod oedd cael senedd i Gymru, ond plaid fach oedd hi am flynyddoedd. Yn

Ymgyrch Senedd i Gymru – stondin gyhoeddusrwydd gan Blaid Cymru, gyda'r delynores Nansi Richards, yn Llanrhaeadr-ym-Mochnant, Mai 1957

Gwynfor Evans ar y bore y cafodd ei ethol yn Aelod Seneddol cyntaf Plaid Cymru

1951 sefydlwyd mudiad Ymgyrch Senedd i Gymru oedd yn cynnwys pobl o sawl plaid. Arwyddodd tua 250,000 o bobl ddeiseb o blaid cael Senedd i Gymru – canran sylweddol o boblogaeth y wlad.

Roedd siom Tryweryn a digwyddiadau eraill, fel gorfodi ffermwyr i symud o'u ffermydd ar Fynydd Epynt, yn gwneud i bobl amau nad oedd y Senedd yn Llundain yn barod i roi sylw i broblemau Cymru. Creodd y Blaid Lafur swydd Gweinidog dros Faterion Cymreig yn 1951 a Swyddfa Gymreig yng Nghaerdydd yn 1965.

Ond ymhen amser, doedd hynny ddim yn ddigon. Yn 1966 cafodd Gwynfor Evans ei ethol yn Aelod Seneddol cyntaf Plaid Cymru, a hynny dros Gaerfyrddin. O'r diwedd, cafodd Cymru'r cyfle i leisio barn ar gael ei Senedd ei hun drwy refferendwm.

Adeilad Senedd Cymru ym Mae Caerdydd

Erbyn hyn mae Senedd Cymru wedi gwneud penderfyniadau sy'n cyfyngu ar ysmygu'n gyhoeddus, yn lleihau'r defnydd o blastig, yn sefydlu Comisiynydd i edrych ar ôl lles plant, yn sicrhau bod mwy o ailgylchu, yn creu Llwybr Arfordir i Gymru ac yn ehangu'r defnydd o'r Gymraeg.

Gwersyll Llangrannog sy'n creu atyniadau newydd yn gyson

Urdd Gobaith Cymru

Mae llawer iawn o blant wedi cael blas newydd ar fod yn Gymry trwy ymuno ag Urdd Gobaith Cymru. Cafodd y mudiad ieuenctid hwn ddylanwad mawr mewn sawl maes ac ym mhob cwr o'r wlad dros y ganrif ddiwethaf. Sefydlwyd y mudiad gan Ifan ab Owen Edwards yn 1922 i gynnig profiadau difyr i blant a phobl ifanc trwy gyfrwng y Gymraeg.

Yr Urdd yw'r mudiad ieuenctid mwyaf yng Nghymru heddiw, gyda dros 55,000 o aelodau. Mae canolfannau gan yr Urdd ym Mae Caerdydd, Llanuwchllyn a Llangrannog. Yn ogystal â gweithgareddau'r gwersylloedd ac amrywiaeth o chwaraeon, bydd Eisteddfod Genedlaethol yr Urdd yn cael ei chynnal mewn man gwahanol yng Nghymru bob blwyddyn. Cafodd bathodyn y mudiad ei addasu'n gymeriad cartŵn hoffus a bywiog yn 1976 – ydych chi'n dilyn Mistar Urdd?

Ifan ab Owen Edwards, y sylfaenydd

Adran y Treuddyn, pentref yn Sir y Fflint ar Lwybr Clawdd Offa. Yno y ffurfiwyd adran gyntaf yr Urdd drwy Gymru.

Un o'r dosbarthiadau cyntaf yn Ysgol Dewi Sant, Llanelli

Addysg a'r Gymraeg

Cafodd Ysgol Dewi Sant, Llanelli, ei hagor yn 1947. Hon oedd yr ysgol gynradd gyntaf oedd yn dysgu drwy'r Gymraeg i gael ei sefydlu gan awdurdod lleol. Agorwyd rhagor o ysgolion cynradd tebyg yn y blynyddoedd wedyn. Agorodd yr ysgol uwchradd Gymraeg gyntaf, Ysgol Glan Clwyd, yn y Rhyl yn 1956. Daeth yr ysgolion hyn yn boblogaidd iawn.

Erbyn heddiw mae llawer o ysgolion cynradd ac uwchradd yn dysgu drwy'r Gymraeg. Ac mae'n rhaid i bob disgybl ysgol ddysgu Cymraeg fel pwnc yn yr ysgolion uwchradd hefyd. Ond doedd dim llawer o gyfle i fynd ymlaen i ddilyn cyrsiau drwy'r Gymraeg yn y brifysgol. Yn 2011 cafodd Coleg Cymraeg ei sefydlu i hybu dysgu drwy'r Gymraeg ym mhrifysgolion Cymru.

Norah Isaac, prifathrawes Ysgol Lluest yn Aberystwyth – ysgol Gymraeg annibynnol a sefydlwyd gan Urdd Gobaith Cymru yn 1939

Eileen Beasley (1921–2012)

Pobl ifanc sydd fel arfer yn cymryd rhan mewn protestiadau, ac roedd protestiadau'r 1960au yn llawn ohonyn nhw. Daeth cantorion ifanc yn enwog am eu caneuon protest yn yr Unol Daleithiau, ac yma yng Nghymru. Gallai Dafydd Iwan, y canwr protest mwyaf enwog yng Nghymru, ddenu cannoedd i neuaddau bach mewn pentrefi ledled Cymru i wrando ar ei ganeuon tanbaid.

Eileen Beasley a'i dau blentyn dan gysgod y gorchymyn treth uniaith Saesneg

Ond roedd pobl eraill yn cefnogi'r protestwyr ifanc. Roedd rhai ohonyn nhw'n bobl na fyddai neb wedi disgwyl eu gweld yn cymryd rhan mewn protestio o unrhyw fath. Un o'r rhain oedd Eileen Beasley. Roedd hi'n athrawes ac yn fam i deulu ifanc pan benderfynodd hi a'i gŵr, Trefor, ofyn i Gyngor Tref Llanelli am gael biliau Treth y Cyngor yn Gymraeg. Gwrthododd y

Y plac ar hen gartref y Beasleys yn Llangennech

Cyngor, a phenderfynodd Eileen a Trefor wrthod talu'r arian.

Parhaodd ymgyrch Eileen a Trefor am ddeg mlynedd. Bu'n rhaid iddyn nhw fynd i'r llys 16 o weithiau oherwydd eu bod nhw'n gwrthod talu'r ddyled i'r Cyngor. Daeth gweithwyr y Cyngor i'w cartref a mynd â'u dodrefn i dalu eu dyled. Bu'n rhaid i Trefor fynd i'r carchar. Gwrthododd rhai pobl yn eu pentref siarad â nhw. Pan fyddai Eileen yn mynd i nôl ei phlant o'r ysgol, byddai rhai o'r rhieni eraill yn troi eu cefn arni.

Ond yn 1960 ildiodd y Cyngor, a chafodd Eileen a Trefor fil yn Gymraeg a Saesneg. Yn 2015 trefnodd Cyngor Llanelli i osod plac glas ar hen gartref y teulu. Heddiw, mae pob dogfen swyddogol sy'n dod o'r Cyngor lleol neu'r llywodraeth ganolog yn Gymraeg a Saesneg.

Trychineb Aber-fan

Roedd tomenni sbwriel y pyllau
glo i'w gweld ar ben bryniau
drwy gymoedd y maes glo am
flynyddoedd. Efallai y bydden
nhw i'w gweld o hyd oni bai
am ddigwyddiad erchyll yng
Nghwm Taf ar 21 Hydref 1966.
Aeth plant pentref Aber-fan i'r
ysgol fel arfer y bore hwnnw.
Ond erbyn amser cinio roedd
116 ohonyn nhw wedi marw, a

**Llwybr y tip a symudodd a dinistrio ysgol
a thai yn y pentref**

28 o oedolion hefyd – i gyd wedi eu lladd gan lif o wastraff glo. Roedd
y tip ar y bryn uwchben y pentref wedi cael ei godi mewn man lle roedd
dŵr yn tarddu, ac roedd cyfnod o law trwm wedi tanseilio'r domen gyfan.
Llifodd y slyri du i lawr y bryn mewn munudau ac i fewn i'r ysgol. Doedd dim
byd y gallai'r plant na'u hathrawon ei wneud i amddiffyn eu hunain.

Roedd colli cynifer o blant bach diniwed mewn ffordd mor erchyll wedi
cyffwrdd calonnau pobl ar draws y byd. Roedd peryglon olion yr hen
ddiwydiannau mawr yn amlwg i bawb. O hynny ymlaen dechreuwyd ar y
gwaith o glirio'r tomenni glo, ond bu brwydro am flynyddoedd dros gost y
gwaith hwn. Mae cofeb uwchben beddau'r plant ym mynwent Aber-fan.
Mae bryniau llawn coed y cymoedd heddiw hefyd yn gofeb iddyn nhw.

Beddau'r plant yn Aber-fan

Pan ddechreuwyd mapio Cymru a sefydlu priffyrdd oedd yn defnyddio cerrig milltir, defnyddiodd yr awdurdodau enwau Saesneg yn unig, a'u sillafu mewn ffordd Seisnig. Ond enwau Cymraeg fyddai'r bobl leol yn eu defnyddio.

Cymdeithas yr Iaith

Un o syniadau Plaid Cymru o'r dechrau oedd y dylai'r Gymraeg fod yr un mor bwysig â Saesneg yng Nghymru. Ond roedd llawer o wrthwynebiad i hyn, fel yn achos Eileen a Trefor Beasley. Felly, dechreuodd rhai pobl herio'r awdurdodau drwy fynnu defnyddio'r Gymraeg wrth lenwi ffurflenni swyddogol ac ati. Roedd pobl ifanc yn canu caneuon protest yn Gymraeg. Yn 1962 ffurfiwyd Cymdeithas yr Iaith Gymraeg i arwain yr ymgyrch dros yr iaith.

Mae arwyddion ffordd dwyieithog i'w gweld ym mhobman yng Nghymru erbyn heddiw. Ond, am ganrifoedd, roedd pob enw ffordd yn uniaith Saesneg. Dim ond yr enwau Saesneg am leoedd yng Nghymru oedd i'w gweld ar yr arwyddion. Er y byddai'r Cymry yn sôn am fynd o Gaerfyrddin i Abertawe, byddai'n rhaid iddyn nhw edrych am arwyddion oedd yn dweud *Swansea* neu *Carmarthen*.

Dechreuodd aelodau Cymdeithas yr Iaith fynd allan yn y nos i dynnu'r arwyddion ffordd uniaith Saesneg i lawr, neu baentio drostyn nhw. Aeth nifer i garchar am hyn, ond parhau wnaeth y protestio.

Mae'n anodd iawn i lywodraeth sefyll yn erbyn y math yma o brotestio poblogaidd. Felly dechreuodd llywodraeth Prydain roi mwy o bwyslais ar y Gymraeg. Rydych yn gweld arwyddion dwyieithog a datganiadau swyddogol Cymraeg ym mhobman erbyn hyn. Mae'r Senedd wedi pasio mwy o ddeddfau sy'n amddiffyn yr iaith.

Protest gyntaf aelodau
Cymdeithas yr Iaith ar Bont
Trefechan, Aberystwyth, ar
2 Chwefror 1963 (uchod), a
Tedi Millward, un o sylfaenwyr
Cymdeithas yr Iaith mewn rali i gofio 50
mlwyddiant y brotest wreiddiol (dde)

Yr heddlu yn plismona un o nifer o
brotestiadau yn erbyn arwyddion
uniaith Saesneg

Rali dros statws i'r Gymraeg yn
Llanbedr Pont Steffan

Darlun cynnar o Gaerdydd o gyfeiriad Llandaf, yn edrych i lawr at y dociau ac afon Hafren (uchod); ffotograff o Gaerdydd heddiw (isod), yn edrych o'r Bae i fyny at ganol y ddinas. Mae cymharu'r ddau yn dangos sut mae'r ddinas wedi tyfu. Mae wedi llyncu llawer o bentrefi nad oedd yn rhan o'r ddinas yn y gorffennol – pentrefi fel Rhiwbeina, Llanedern, Tre-lai, Llanrhymni, yr Eglwys Newydd a'r Tyllgoed.

Tram yn croesi pont Clarence yng nghanol Caerdydd yn nechrau'r 20G

Caerdydd yn Brifddinas

Tyfodd y ddinas o fod yn dref ddi-nod i fod y ganolfan fusnes bwysicaf Cymru – yn bennaf oherwydd y diwydiannau yn y cymoedd. Mae 350,000 o bobl yn byw yno yn awr – ond dau gant o flynyddoedd yn ôl, ychydig filoedd oedd yn byw yno: 1,870 yn 1801. Erbyn hyn mae'n lleoliad enwog am ei chwaraeon a'i chyngherddau rhyngwladol.

Amgueddfa Genedlaethol Cymru

Ar ddechrau'r 20G, wrth i bobl deimlo'n fwyfwy balch o'u gwlad ac wrth i'w hyder yn y dyfodol gynyddu, cafodd adeiladau mawreddog iawn eu codi ym Mharc Cathays – adeiladau'r brifysgol, Neuadd y Ddinas, y Llysoedd Barn a'r Amgueddfa Genedlaethol. Yn nes at ein hamser ni, ers y 1980au, cafodd Bae Caerdydd ei ddatblygu i gynnwys Canolfan y Mileniwm, siopau, bwytai ac atyniadau eraill.

Caerdydd yw'r brifddinas ieuengaf yn Ewrop. Derbyniodd statws dinas yn 1905 a daeth yn brifddinas Cymru yn Hydref 1955.

Teulu yn beicio ar hyd llwybr Camlas Aberhonddu a Mynwy

CYMRU HEDDIW

Trafnidiaeth

Gallwch gerdded ar hyd rhai
o'r hen gamlesi heddiw, er bod
rhai wedi diflannu'n gyfan gwbl.
Gallwch hefyd ddilyn llwybrau
cerdded ar hyd rhai o'r hen

Un o'r tanceri enfawr sy'n defnyddio
porthladd dwfn Aberdaugleddau

reilffyrdd oedd i'w gweld dros Gymru yn y 19G, ond a ddiflannodd yn y
1960au.

Does dim tollbyrth yng Nghymru o gwbl nawr, ac mae'r ffyrdd prysur
sy'n cario'r traffig i gyd yn cael eu hariannu drwy drethi. Mae mwy
a mwy o draffig ar y ffyrdd. Felly, mae'n rhaid eu trwsio'n gyson, ac
adeiladu ffyrdd a phontydd newydd hefyd.

Mae llawer o'r porthladdoedd bychain oedd mor brysur am
ganrifoedd yn bentrefi gwyliau nawr. Mae'r odynau calch yn adfeilion,
a chychod pleser, nid llongau nwyddau, sydd wrth angor yn yr
harbwr. Ond mae rhai fel Caergybi ac Aberdaugleddau wedi tyfu'n
borthladdoedd mawr modern erbyn hyn.

Mae nifer o amgueddfeydd o safon rhyngwladol ledled Cymru yn dehongli a rhoi profiadau o ddiwydiannau'r gorffennol – Parc Treftadaeth y Rhondda (chwith) ac Amgueddfa Lechi Cymru, Llanberis (dde). Mae Cymru bellach ar drothwy chwyldro ynni gwyrdd, ac yn datblygu ynni gwynt (Melinau Mynydd Gorddu, Ceredigion, isod) ac ynni'r llanw.

Diwydiant

Mae olion hen ddiwydiannau Cymru yn adfeilion neu'n amgueddfeydd heddiw. Er bod diwydiannau newydd yma, dyw'r rhain ddim yng nghanol pentrefi a threfi. Rhaid mynd i grwydro ger porthladdoedd mawr fel Aberdaugleddau neu i stadau anferth o ffatrïoedd ar gyrion trefi os ydych chi am weld y diwydiannau hyn. Ond, fel rheol, does dim caniatâd i chi fynd yn agos atyn nhw, oherwydd bod diogelwch yn bwysicach o lawer heddiw nag yr oedd ganrif a rhagor yn ôl. Rhyw ddydd fe fydd y diwydiannau hyn hefyd yn diflannu, ac fe fydd pobl yn chwilio am eu hadfeilion nhw!

Criw o ffermydd yr ardal wedi dod at ei gilydd i helpu ar ddiwrnod dyrnu ar fferm Rosa Bach, Prion, tua 1910

Ffermio a Chyfoeth Naturiol Cymru

Newidiodd dulliau ffermio yn fawr iawn yn ystod yr 20G. Cynyddodd y defnydd o beiriannau, yn arbennig yn ystod yr Ail Ryfel Byd. Roedd angen llai o bobl i weithio ar y tir. Oherwydd y math o bridd sydd yma a gan ei bod yn bwrw cymaint o law yng Nghymru, tyfu porfa ar gyfer gwartheg llaeth a chig yw'r ffordd orau o ffermio yma. Yn y gorffennol, roedd teuluoedd cyfan yn medru byw ar ffermydd mynyddig Cymru gyda chymorthdaliadau, ond mae'r dyfodol yn ansicr. Y dulliau o ffermio ar hyd y canrifoedd sydd wedi ffurfio cefn gwlad Cymru. Dyna'r harddwch a welwn ni o'n cwmpas heddiw. Ond mae rhai o ddulliau ffermio dwys yr 20G wedi arwain at chwalu hen gloddiau, sychu gwlyptiroedd a fu'n werthfawr i fywyd gwyllt, a pheryglu sawl rhywogaeth o adar, anifeiliaid gwyllt a physgod. Mae cyrff cadwraeth fel y Parciau Cenedlaethol, yr

Combeins yn cynaefu ŷd yn un o gaeau Llŷn ar ddechrau'r 21G

Ardaloedd o Harddwch Naturiol Eithriadol ac adrannau'r llywodraeth yn gweithio gyda'r ffermwyr. Amddiffyn amrywiaeth gwerthfawr y bywyd gwyllt yw'r nod, ond gan gynhyrchu bwyd yn ogystal ag ateb y galw am gaws a chig a chynnyrch Cymreig eraill.

Parc natur wyllt Aberteifi

Hafod Eryri ar gopa'r Wyddfa

Rhan o gofeb genedlaethol mwyngloddio yn Senghennydd yn dangos dewrder aelodau'r timau achub a fentrodd dan ddaear i ganol y perygl a'r tân i achub rhai o'r glowyr (chwith); cofeb Dic Evans, Moelfre (dde)

Cofebau cyfoes

Dau gan mlynedd yn ôl, codi cofebau i ddynion pwysig oedd y ffasiwn, ac mae cofebau fel hyn i'w gweld ledled Cymru. Ganrif yn ôl, dechreuwyd codi cofebau i bobl gyffredin, fel y milwyr fu farw yn y Rhyfel Byd Cyntaf. Cymerodd gan mlynedd arall cyn dechrau codi cofebau i bobl gyffredin a fu farw oherwydd peryglon eu gwaith. Codwyd cofeb ryfel Senghennydd yn 1921. Yn 2013 agorwyd gardd goffa yno i'r holl lowyr gafodd eu lladd wrth eu gwaith. Mae 152 o drychinebau'n cael eu rhestru yno. Agorodd yr ardd union ganrif ar ôl i 440 o ddynion gael eu lladd mewn un danchwa ym mhwll Senghennydd.

Nawr mae cerfluniau a chofebau eraill ledled Cymru i gofio am fywydau pobl gyffredin, a'u rhan nhw yn hanes Cymru. Mae placiau hefyd yn cael eu rhoi ar adeiladau oherwydd bod rhywun pwysig wedi byw yno.

Arwr mewn stormydd oedd Dic Evans, Moelfre – am hanner canrif ef oedd yn llywio'r bad achub lleol. Achubwyd dros 250 o fywydau gan fad achub Moelfre, ac enillodd Dic Evans fedal aur Cymdeithas Frenhinol y Badau Achub ddwywaith am ei ddewrder.

Mae placiau hefyd yn cael eu rhoi ar adeiladau oherwydd i rywun pwysig fyw yno, neu i rywbeth pwysig ddigwydd yno – fel a ddigwyddodd yn hen gartref Eileen Beasley.

Betty Campbell (1934-2017)

Ychydig iawn o'r cofebau hyn sy'n dathlu cyfraniad menywod i hanes Cymru. Ond mae cofeb wedi'i chodi yn ddiweddar i ddathlu gwaith un fenyw arbennig. Athrawes oedd Elizabeth (Betty) Campbell, a daeth yn bennaeth Ysgol Mount Stuart yng Nghaerdydd. Roedd hi, fel llawer o ddisgyblion yr ysgol, yn ddu ei chroen. Ers pan oedd hi'n blentyn, roedd hi eisiau bod yn athrawes ond roedd yn anodd iddi – a hynny dim ond oherwydd lliw ei chroen. Roedd hi wedi gwneud yn dda yn ei harholiadau i gyd. Llwyddodd i gael lle mewn coleg yn y diwedd, a dechreuodd ddysgu yn Ysgol Mount Stuart yn 1970.

Roedd hi'n benderfynol y byddai disgyblion Ysgol Mount Stuart yn cael gwybod am eu holl hanes cyfoethog. Byddai'n cynnal eisteddfod yn yr ysgol, ac yn dathlu gwyliau crefyddol a diwylliannol eraill hefyd. Daeth ei hysgol yn enwog am ei gwaith, a chafodd Betty lawer o glod a sylw am ei gweledigaeth a'i hymdrech ddiflino dros ei chymuned.

Pan benderfynwyd bod angen codi cerflun yn Sgwâr Canolog newydd Caerdydd, roedd galw am gerflun o fenyw. Roedd pawb yn cytuno ar hynny, ond wedyn roedd angen dewis pa fenyw. Cynhaliwyd cystadleuaeth gan y BBC, a'r dewis oedd Betty Campbell.

Adloniant

Mae'r ffonau clyfar yn ein pocedi yn medru cynnig pob math o ffilmiau a cherddoriaeth i ni, a hynny 24/7. Ond mae pobl yn dal i fynd i gyngerdd neu ddrama, ac mae adeiladau

Canolfan Pontio, Bangor

modern fel canolfan newydd Pontio ym Mangor, Theatr Clwyd yn yr Wyddgrug a Chanolfan y Mileniwm yng Nghaerdydd i gyd yn cynnig rhaglenni amrywiol.

Ac mae rhai o hen adeiladau'r 19G yn dal ar agor hefyd. Cafodd Theatr y Grand yn Abertawe ei hagor yn 1897, a'r Theatr Newydd yng Nghaerdydd yn 1907. Maen nhw wedi cael eu hadnewyddu ond yn dal i edrych yn debyg i'r hyn oedden nhw ganrif yn ôl.

Yn Saesneg mae llawer o'r perfformiadau yn y canolfannau hyn. Os ydych am gael adloniant yn Gymraeg, fe gewch chi hynny ar S4C ar y teledu, a Radio Cymru 1 a 2. Mae Theatr Genedlaethol Cymru, gafodd ei sefydlu yn 2003, yn teithio o gwmpas Cymru gyda pherfformiadau yn Gymraeg a Saesneg.

Rygbi yw'r gêm sy'n symbol o Gymru i lawer o bobl, ond mae pobl wedi bod yn chwarae gemau pêl yma ers amser maith iawn. Mae sôn am fechgyn yn chwarae pêl mewn llyfr gafodd ei ysgrifennu yn y 9G.

Canolfan y Mileniwm, Bae Caerdydd

Y stadiwm cenedlaethol yng Nghaerdydd

Y tim pêl-droed cenedlaethol yn yr Ewros yn 2016

Roedd gêm draddodiadol o'r enw cnapan yn cael ei chwarae yn ardal Sir Benfro. Roedd timau o ddynion ifanc yn cystadlu â'i gilydd am bêl, a doedd dim llawer o reolau nac o drefn. Mor ddiweddar ag 1850, fe ddechreuodd dynion chwarae rygbi yng Ngholeg Llambed, a dyna ddiwedd ar chwarae cnapan, mae'n debyg. Roedd bando, gêm debyg iawn i hoci, hefyd yn cael ei chwarae yn ne Cymru yn y 19G. Unwaith eto, doedd dim llawer o reolau ac roedd llawer o anafiadau. Gwneud rhywbeth "braich a bando" fydd pobl Morgannwg yn ei ddweud am rywun sy'n gwneud pethau â'i holl egni.

Mae'r gemau hyn i gyd yn cael eu chwarae ar gaeau agored, a does dim byd i'w weld heddiw i ddangos ble roedd y caeau hyn. Yn ddiweddarach, adeiladwyd seddi i'r gwylwyr, ac erbyn heddiw mae lle i filoedd wylio'r gemau yn y stadiwm

Cwrt pêl law yn Nelson, ger Caerffili

cenedlaethol yng Nghaerdydd a Stadiwm Liberty, Abertawe.

Dim ond tair wal a phêl oedd eu hangen er mwyn chwarae un gêm boblogaidd iawn – pêl law. Taro'r bêl yn erbyn y waliau fydd y chwaraewyr. Er bod cyrtiau arbennig wedi eu hadeiladu mewn rhai pentrefi ac ysgolion, byddai'r gêm yn cael ei chwarae lle bynnag yr oedd waliau addas. Unwaith eto, does dim byd ar ôl i ni ei weld heddiw, er bod un cwrt yn sefyll o hyd ym mhentref Nelson, ger Caerffili.

Ond erbyn heddiw mae pob math o chwaraeon ac atyniadau antur yn denu ymwelwyr i bob rhan o Gymru.

Roedd Chwarel y Penrhyn yn cyflogi dros 3,000 o chwarelwyr ar ddiwedd y 19G; heddiw mae'n denu ymwelwyr i fentro ar weiren wib Zip-wire.

Twristiaeth

Mae twristiaid wedi dod i Gymru ers canrifoedd. Fe fydden nhw'n dod mewn coets neu ar gefn ceffyl yn y 18G, i ryfeddu at y mynyddoedd a'r rhaeadrau dŵr. Erbyn diwedd y ganrif honno byddai rhai hefyd yn mentro draw i weld y diwydiannau newydd oedd yn newid tirwedd Cymru – a'r byd. Cymru oedd y wlad gyntaf yn y byd i ddatblygu diwydiannau mawr.

Yn nes ymlaen yn y 19G, dechreuodd teuluoedd ymweld â threfi'r ffynhonnau a phentrefi glan y môr. Dyna'r rheswm pam fod cymaint o dai o'r cyfnod hwnnw yn Llandrindod a Llanwrtyd, ac yn Ninbych-y-pysgod, Aberystwyth a Llandudno. Roedd rhai'n dal i ymweld â'r mynyddoedd

Hen bentref y chwareli oedd Nant Gwrtheyrn yn Llŷn. Yna caeodd y chwareli a bu'n bentref gwag. Ond daeth tro arall ar fyd – cafodd canolfan i ddysgu'r Gymraeg ei sefydlu yno ac erbyn hyn mae'n lle prysur unwaith eto.

hefyd, a llawer ohonyn nhw'n dringo'r mynyddoedd nawr. Datblygodd mynydda yn ystod y ganrif honno.

Heddiw, mae twristiaid yn dal i ddod i draethau a llynnoedd Cymru, i ddringo'i bryniau ac i gerdded ei llwybrau. Mae eu offer a'u dulliau o deithio yn newydd, er mor hen yw'r golygfeydd. Mae llawer yn dod hefyd i ddysgu am ddiwylliant Cymru, mewn eisteddfodau a gwyliau gwerin. Roedd y twristiaid cyntaf yn rhyfeddu at ffwrneisi'r diwydiannau metel, a'r clogwyni uchel lle byddai'r chwarelwyr yn naddu'r graig. Mae'r safleoedd hynny'n dal i ddenu twristiaid gan fod rhai ohonyn nhw wedi eu troi'n amgueddfeydd. Mae eraill yn mwynhau'r wefr o hedfan ar weiren wib uwchben hen chwarel.

Un o ryfeddodau hanes Cymru yw parhad yr iaith Gymraeg, un o'r ieithoedd hynaf yn Ewrop. Mae miloedd o blant Cymru yn cael eu haddysg yn Gymraeg, er gwaethaf pob ymdrech a gafodd ei gwneud i'w dileu o fyd addysg.

Byddai Caradog a Buddug yn adnabod llawer o eiriau'r iaith, ac mae plant â'u henwau nhw'n ddisgyblion yn ysgolion Cymru heddiw.

Mae llawer o bobl yn mynd ati i ddysgu Cymraeg, ac yn dod yma i'w dysgu neu ei hymarfer. Ac wrth i rai o weithfeydd y diwydiannau trwm gael eu troi heddiw yn amgueddfeydd i gofio'r gorffennol, mae un ohonyn nhw, pentref Nant Gwrtheyrn, wedi ei droi'n ganolfan i bobl sydd am ddysgu Cymraeg.

Gŵyl Gymraeg yw'r Eisteddfod Genedlaethol ac mae'n un o brif ddigwyddiadau ein calendr. Yno cewch weld pob agwedd ar fywyd a diwylliant Cymru – a chewch lot o hwyl hefyd!

Diweddglo

Mae hanes o'n cwmpas bob dydd felly, ac mae i'w weld mewn enwau lleoedd, mewn adeiladau ac adfeilion, mewn llwybrau a heolydd ac yng ngeiriau ein hiaith hefyd. Gallwch ei anwybyddu, ond mae wedi creu'r byd yr ydych chi'n byw ynddo, ac rydych chi eich hun yn rhan o hanes nawr!

Coch yw lliw crysau timau pêl-droed a rygbi Cymru, ac mae eu cefnogwyr yn hoffi sefyll gyda'i gilydd wrth wylio gêm, yn gwisgo'u crysau cochion ac yn chwifio'u baneri. Dyma Wal Goch Cymru.

Rwy'n hoffi meddwl am y bobl fu'n byw ac yn gweithio yn yr adeiladau sydd i'w gweld yn y llyfr hwn fel Wal Goch Anweledig. Bydd pob un ohonynt yn chwifio baner – baner Dewi Sant, neu Glyndŵr, neu faner yn gofyn am Siarter y Bobl neu'r bleidlais i fenywod. Oes gennych chi le yn y Wal Goch? A pha faner fyddwch chi'n ei dewis?

Murluniau yng Nghaerdydd adeg cystadleuaeth bêl-droed yr Ewros yn 2021

DIRGELWCH YN Y TIR

Y gadwyn haearn a gafodd ei darganfod yn Llyn Cerrig Bach

Dolenni'r gorffennol

Yn 1943 roedd darn o dir yn cael ei glirio i ymestyn maes awyr y Fali, Môn. Sylwodd William Owen Roberts fod y gweithwyr yn defnyddio cadwyn ryfedd i dynnu tractor allan o'r mwd. Doedd y gadwyn ddim yn rhan o'r offer oedd i fod i gael ei ddefnyddio. Wedi iddo edrych yn fanylach, penderfynodd fod y gadwyn yn hen iawn, er bod y dolenni'n defnyddio techneg fodern o wasgu canol pob dolen er mwyn ei chryfhau. Tynnodd lun o'r gadwyn a'i anfon at yr Amgueddfa Genedlaethol.

Aeth pennaeth adran archaeolegol yr Amgueddfa i Fôn ar unwaith. Roedd yn gwybod bod y gadwyn wedi cael ei gwneud 2,000 o flynyddoedd yn ôl. Trefnodd i gloddio'r tir yn fanwl, a daeth holl drysorau Llyn Cerrig Bach i'r golau.

Ond does neb yn gwybod hyd heddiw sut na pham roedd y gyfrinach honno o gryfhau dolen wedi cael ei cholli am fil a rhagor o flynyddoedd ...

Diwedd yr
Oes Iâ Ddiwethaf
-12000

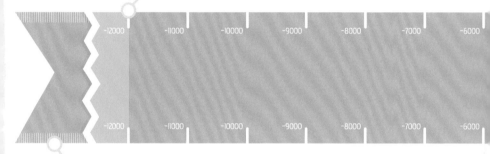

Oes y Cerrig
-230000

Diwedd
Oes y Cerrig
tua -3300

Oes yr Haearn o tua -700

Y Chwyldro Digidol o tua 1990 ymlaen

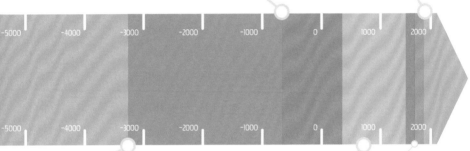

Oes yr Efydd

Oes y Chwyldroadau

Yr Oesoedd Canol

Mesur amser

Mae hanes yn cael ei greu bob dydd. Ac mae'r byd yn newid o hyd. Weithiau mae newidiadau mawr yn digwydd yn sydyn oherwydd rhyfel neu bla. Ond fel rheol, newid yn araf mae'n bywyd ni, a'r byd o'n cwmpas hefyd. A byddwn yn rhoi labeli ar wahanol gyfnodau yn yr hanes hwnnw.

Wrth edrych yn ôl ar ein bywyd ni fel person, rydym yn hoffi rhoi label ar adegau gwahanol yn ein hanes. Rydyn ni'n dweud: "Pan oeddwn i'n fabi ... Pan oeddwn i'n saith oed ..." ac felly ymlaen. Fe glywch chi bobl mewn oed yn dweud: "Pan ddechreuais i yrru ..." neu "Pan es i fyw i ..." Byddwn yn defnyddio labeli tebyg ni wrth i ni edrych yn ôl ar hanes ein byd hefyd. Dyma rai ohonyn nhw.

Yr Oesoedd Cynnar

"Yr Oesoedd Cynnar" yw un label ar y blynyddoedd pell, pell yn ôl, ac mae'n disgrifio cannoedd o filoedd o flynyddoedd. Oherwydd hynny fe fyddwn yn rhoi labeli ychwanegol ar gyfnodau arbennig o'r Oesoedd Cynnar hyn.

Fel rheol, byddwn yn sôn am y cyfnod cyn i bobl fel ni ddod i fyw yn Ewrop fel "**Oesoedd yr Iâ**", oherwydd ar adegau yn ystod y cyfnod hwnnw roedd llawer o'r tir wedi ei guddio dan haenau o iâ ac eira. Ar adegau eraill fe fyddai'r tywydd yn cynhesu a byddai modd i anifeiliaid a phobl fyw yma.

Ar adeg pan oedd y tywydd yn weddol fwyn roedd pobl yn byw yn Ogof Pontnewydd. Dim ond y pethau a adawon nhw ar eu hôl ym mhen pellaf yr ogof sydd gyda ni heddiw: daeth yr eira a'r iâ yn ôl i glirio popeth arall i ffwrdd. Daeth yr Oes Iâ ddiwethaf i ben tua 20,000 o flynyddoedd yn ôl.

Wrth i'r hinsawdd wella, a'r iâ ddechrau cilio ymhellach ac ymhellach I'r gogledd, daeth pobl ac anifeiliaid 'nôl i fyw yma. Dyma ddechrau cyfres o labeli nawr. Byddwn yn disgrifio'r cyfnod pan oedd pobl yn defnyddio offer o gerrig yn unig fel "**Oes y Cerrig**". Pan ddechreuon nhw ddefnyddio metelau fel copr a thun, dyma ddechrau "**Oes yr Efydd**".

Ar ôl i bobl ddysgu sut i weithio haearn, yna **"Oes yr Haearn"** yw'r label ar y blynyddoedd hynny. Ac rydyn ni'n byw yn Oes yr Haearn heddiw – meddyliwch am yr holl bethau metel sydd yn eich cartref. Dur yw'r metel sy'n cael ei ddefnyddio ynddyn nhw ond mae dur yn cael ei wneud o haearn.

Oherwydd doedd pobl y cyfnodau hyn ddim yn ysgrifennu, label arall ar yr Oesoedd Cynnar yw "Cyn-hanes" – cyn bod unrhyw dystiolaeth ysgrifenedig gennym am fywyd pobl.

Oes y Celtiaid a'r Rhufeiniaid

Y Celtiaid a'r Rhufeiniaid oedd y bobl gyntaf yn Ewrop i ddefnyddio haearn. Roedd y Celtiaid yn byw ar draws Ewrop gyfan 4,000 o flynyddoedd yn ôl – dyna **"Oes y Celtiaid"**.

Ond dechreuodd milwyr Rhufain ennill tir oddi wrthyn nhw dan arweiniad Iŵl Cesar tua 2,000 o flynyddoeddyn ôl. Yn y diwedd daeth y rhan fwyaf o Brydain dan reolaeth yr Ymerawdwr Rhufeinig – er gwaethaf holl ymdrechion pobl fel Caradog a Buddug.

Y Rhufeiniaid ddaeth â'r syniad o ysgrifennu i Brydain, ac felly byddwn yn sôn am eu cyfnod nhw a'r cyfnodau sy'n ei ddilyn fel y cyfnod hanesyddol.

Ond ar ddechrau'r 5G fe fethodd milwyr Rhufain amddiffyn eu hymerodraeth yn erbyn ymosodiadau pobl o ogledd-ddwyrain Ewrop fel yr Allemani, y Ffrancwyr – a'r Sacsoniaid, a ddechreuodd wneud eu cartrefi yn nwyrain Prydain.

Oes y Saint a'r Oesoedd Tywyll

Blynyddoedd cythryblus o ymladd oedd y canrifoedd rhwng dechrau'r 5G a'r 10G. Ond dyma'r cyfnod pan mae hen deyrnasoedd Cymru yn cael eu ffurfio – y teyrnasoedd sydd wedi rhoi eu henwau i rannau o Gymru heddiw. Ac yn y cyfnod hwn hefyd roedd seintiau Cymru'n byw – y seintiau sydd wedi rhoi eu henwau i gymaint o drefi a phentrefi yng Nghymru. Daeth Cristnogaeth i Gymru gyda'r Rhufeiniaid, ac fe gadwodd y Cymry at y ffydd honno pan oedd rhannau eraill o Brydain wedi cefnu arni.

Mae'r cyfnod hwn yn bwysig yn ein hanes oherwydd nawr gallwn ddechrau sôn am Gymru fel gwlad ar wahân. Yn amser y Rhufeiniaid un rhan yn unig o'u hymerodraeth oedd Cymru a Lloegr, heb wahaniaeth amlwg rhyngddyn nhw. Ond yn **Oes y Saint** mae Cymru yn cael ei ffurfio wrth i'w thywysogion amddiffyn eu ffiniau. Adeiladwyd Clawdd Offa yn y cyfnod hwn.

Roedd pobl yn arfer sôn am y cyfnod hwn fel **"Yr Oesoedd Tywyll"** oherwydd bod cyn lleied o dystiolaeth gadarn iddo. Ond rydyn ni'n dysgu mwy a mwy am y blynyddoedd hyn nawr, felly mae'r enw hwnnw yn fwyfwy anghywir.

Oes y Tywysogion a'r Oesoedd Canol

Roedd arweinwyr cryf fel Hywel Dda a Gruffudd ap Llywelyn yn dechrau uno gwahanol deyrnasoedd Cymru gyda'i gilydd yn y 10G. Yna enillodd y Normaniaid frwydr Hastings yn 1066, a dechreuon nhw ymosod ar Gymru'n fuan wedyn. Rhwng 1066 a 1282 roedd tywysogion Cymru yn ceisio amddiffyn eu hunain yn erbyn y Normaniaid – weithiau trwy ymladd yn eu herbyn, ac weithio trwy geisio cymodi â nhw.

Yng Nghymru, label y cyfnod hwn yw **"Oes y Tywysogion"**. Mae gennym lawer o wybodaeth am arweinwyr Cymru yn y cyfnod hwn, a thywysogion annibynnol oedden nhw. Mae llawer o storïau cyffrous yn perthyn i'r cyfnod hwn pan oedd gan bob rhan o Gymru ei theulu ei hun o dywysogion.

Ond, yn wahanol i bob cyfnod arall, mae Oes y Tywysogion yn gorffen yn sydyn iawn, ac ar un diwrnod arbennig. Pan gafodd Llywelyn ap Gruffudd ei ladd yng Nghilmeri, Powys, ar 11 Rhagfyr 1282, daeth diwedd ar annibyniaeth Cymru ac ar Oes y Tywysogion. Roedd pobl Cymru yn sylweddoli hynny ar y pryd, ac yn drist iawn amdano.

Label arall ar y cyfnod rhwng 1000 a 1500 yw **"Yr Oesoedd Canol"**. Pan ddechreuodd pobl roi labeli ar wahanol gyfnodau hanes, meddylion nhw fod y blynyddoedd hyn yn dod yn y canol, rhwng yr Oesoedd Cynnar a'r byd modern. Mae'n label eitha defnyddiol wrth i ni siarad am y cyfnod hwn, oherwydd er bod y ffordd o reoli Cymru wedi newid yn 1282, doedd ffordd pobl o fyw ddim wedi newid cymaint â hynny.

Doedd Owain Glyndŵr ddim yn dywysog, ond pan ddechreuodd wrthryfela roedd llawer yn ei ddilyn oherwydd ei fod yn perthyn i deuluoedd tywysogion Gwynedd a Phowys.

Oes y Tuduriaid a'r Cyfnod Modern Cynnar

Mae buddugoliaeth Harri Tudur ym Mrwydr Bosworth yn 1485 yn drobwynt arall yn hanes Cymru, a hanes Lloegr hefyd. Byddai Harri ac wedyn aelodau o'i deulu yn rheoli'r ddwy wlad o hyn ymlaen. Gwnaeth ei fab, Harri VIII, Gymru yn rhan o Loegr trwy Ddeddfau Uno 1536 a 1543. Pan ddaeth Iago, brenin yr Alban, gor-gorwyr Harri VII, yn frenin Lloegr yn 1603 a thrwy hynny uno'r ddwy wlad, roedd Cymru yn rhan o'i deyrnas newydd.

Ond nid buddugoliaeth Bosworth yn 1485 oedd yr unig ddigwyddiad o bwys ar ddiwedd y 15G. Dyma gyfnod o newidiadau a darganfyddiadau pwysig yn hanes Ewrop. Yn ystod y ganrif hon cafodd y wasg argraffu ei dyfeisio, a llwyddodd morwyr mentrus i hwylio i America. Roedd y digwyddiadau hyn yn agor y ffordd i ragor o ddyfeisiadau a darganfyddiadau. Nhw yw sail ein byd modern ni heddiw, ac felly'r label sy'n cael ei roi ar y blynyddoedd rhwng 1450 a 1700 yw **"Y Cyfnod Modern Cynnar"**.

Dyma'r cyfnod pan ddaeth diwedd ar awdurdod yr Eglwys Gatholig fel yr unig eglwys Gristnogol yn Ewrop. Roedd sawl un wedi ei beirniadu cyn hyn, ond yn 1507 dechreuodd Martin Luther ddadl yn ei herbyn a arweiniodd at gyfnod o ryfeloedd crefyddol chwerw. Ond mae diwedd awdurdod yr Eglwys Gatholig hefyd yn gam tuag at y byd modern.

Oes y Chwyldroadau

O 1700 ymlaen mae pethau'n dechrau newid yn gyflymach ac mewn nifer o ffyrdd gwahanol. Mae gwyddoniaeth a thechnoleg yn datblygu, ac mae pob darganfyddiad a dyfais newydd yn arwain at fwy o newidiadau. Mae pobl yn dechrau arbrofi gyda dulliau newydd o dyfu cnydau, a phlannu cnydau newydd hefyd, fel tatws, a ddaeth i Ewrop o America yn yr 17G.

Roedd pobl yn arbrofi hefyd gyda dulliau newydd o wneud nwyddau tel haearn. Dyfeisiwyd peiriannau newydd, a darganfyddwyd pŵer newydd – stêm. **"Oes y Chwyldroadau"** yw'r label ar y cyfnod hwn oherwydd bod cymaint o newidiadau'n digwydd o 1700 ymlaen. Bydd rhai pobl yn sôn hefyd am "Y Chwyldro Amaethyddol" a'r "Chwyldro Diwydiannol" wrth siarad am y newidiadau mewn ffermio a diwydiant. Mae'r newidiadau hyn yn digwydd ar yr un pryd ac am yr un rhesymau.

Ond mae rheswm arall dros roi'r label "Oes y Chwyldroadau" i'r cyfnod ar ôl 1700. Yn y blynyddoedd hynny roedd chwyldroadau yn erbyn y llywodraeth yn America a Ffrainc. Yn America yn gyntaf y gwrthryfelodd y bobl yn erbyn Brenin Lloegr, ac enillon nhw eu hannibyniaeth yn 1776. Yna, yn 1789, gwrthryfelodd pobl Ffrainc yn erbyn eu brenin. Cafodd brenin Ffrainc ei ddienyddio yn 1793, a bu rhyfel gwaedlyd yn y wlad am flynyddoedd.

Oes Victoria a'r 19G

Roedd y Frenhines Victoria'n teyrnasu o 1837 i 1901, ac mae llawer o bobl yn defnyddio'i henw hi fel label ar y ganrif gyfan o 1800 i 1900. Dyma'r adeg pan ddaeth ymerodraeth Prydain yn bwerus iawn ar sail ei diwydiannau gan ennill tiroedd ac adnoddau dros rannau eang o'r byd.

Dyma'r ganrif hefyd pan fu llawer o brotestio yn erbyn anghyfiawnderau cymdeithas, ac erbyn 1900 roedd nifer o welliannau wedi cael eu gwneud o ran addysg, glendid trefi, diogelwch yn y gwaith ac ati.

Canrif y Werin

Yn ystod yr 20G mae mwy a mwy o ddylanwad gan y werin, ac mae pobl gyffredin yn dechrau cael mwy o barch ac o lais yn y penderfyniadau oedd yn effeithio arnyn nhw. Cafodd pob dyn – a rhai menywod – y bleidlais yn 1918, a phob menyw yn 1928. Daeth menywod a dynion fu'n gweithio mewn ffatrïoedd a phyllau glo yn Aelodau Seneddol. Daeth yr undebau oedd yn diogelu hawliau'r gweithwyr yn bwerus iawn. Daeth addysg a gofal iechyd yn rhad i bawb. Roedd newidiadau gwyddonol a thechnegol yn newid yn aruthrol o gyflym yn ystod y ganrif ddiwethaf.

Oes Plastig? Oes y Cyfrifiadur?
Oes yr Argyfwng Hinsawdd?

Chi sy'n darllen y llyfr hwn fydd yn penderfynu natur eich oes chi – a'r label fydd yn cael ei rhoi arni efallai hefyd. Yn eich dwylo chi mae'n hanes ni o hyn ymlaen!

Ond cofiwch – labeli sy'n cael eu defnyddio wrth feddwl am hanes Ewrop yw'r labeli hyn i gyd. Mae gan nifer o wledydd eraill y byd hanes hirach o lawer na gwledydd Ewrop, a labeli gwahanol ar gyfnodau eu hanes nhw hefyd.

Cydnabyddiaeth lluniau

Dymuna'r cyhoeddwyr gydnabod yn ddiolchgar bob cymorth wrth gael caniatâd o'r ffynonellau hyn i atgynhyrchu'r lluniau:

Alamy
191

Amgueddfa ac Oriel Gelf Casnewydd
153, 165

Amgueddfa Genedlaethol Cymru
27, 207

Amgueddfa Werin Cymru, Sain Ffagan
80 (2), 110, 172

Archif Menywod Cymru
154

Yr Awdur
8, 63, 146, 158, 177

CADW
30 (Hawlfraint y Goron (2021), Cadw, Darlun gan Brian Byron, 82 Hawlfraint y Goron (2021), Cadw, Darlun gan Terry Ball)

Hawlfraint y Goron: CBHC
23, 31, 39, 61, 87,
30, 35 (hawlfraint Paul R Davis)

Hawlfraint y Goron: Croeso Cymru
24, 25 (6), 27 (2), 31, 32 (2), 33, 34, 35 (2), 36, 43, 45, 49, 51 (2), 53, 57, 68, 70, 72 (2), 73, 74 (3), 75, 76 (3), 78, 79, 82, 84, 87, 89, 91, 95 (4), 96, 105 (2), 107, 113, 120, 127, 129, 145, 146, 148, 150, 152, 158, 164, 169, 176, 178, 187, 194, 196, 197 (2), 199 (2), 200, 202, 203, 204 (2), 220

Cylchgrawn Cambria
44

Cymdeithas Pêl-droed Cymru
203

Dafydd Elfryn
2

Dan Santillo
23

Dave Rendle (teifidancer)
119

Eisteddfod Genedlaethol Cymru
205

Fferm a Thyddyn
198

Flickr
114 (netNicholls)

Gwasg Carreg Gwalch
8, 9 (3), 10, 13, 14, 17, 26, 33, 38, 43 (Amg. Prifysgol Bangor), 46 (2), 48, 50, 53, 58, 59, 60, 61, 67, 70, 71, 73 (Darlun gan Chris Iliff), 75 (Darlun gan Chris Iliff), 77 (2), 81, 81 (Darlun gan Chris Iliff), 86, 89, 90 (2), 94, 106, 108, 109 (3), 113, 117, 126 (2), 129, 130, 131 (2), 132, 134 (2), 135, 137, 139 (2), 141, 143 (Darlun gan Gloddfa Gopr Sygun), 146, 147, 149 (2), 151 (2), 152, 155, 157 (2), 158, 159, 160 (2), 161, 162, 168, 170 (3), 172, 174 (2), 182 (2), 185, 188, 189 (2), 190 (2), 192 (3), 193, 199, 200, 202, 206 (2)

Geograph
173 (Jaggery CC BY-SA-2.0)

Google Earth
84, 101, 125

Iestyn Hughes
16, 20, 26, 37, 53, 54, 63 (2), 71, 87, 111, 118, 121 (3), 134, 139, 155, 159, 170, 174 (2), 177, 179 (2), 182 (2), 183, 184, 191, 193, 195, 197, 203

John Meirion Morris a'r Lolfa, o'r gyfrol *Y Weledigaeth Geltaidd*, gyda chaniatâd Gwawr Morris
27

Julian Heath
21, 22, 24

Keith O'Brien/GCG
185

Llanw Llŷn
134, 172

Y Llyfrgell Brydeinig
94 (Comin Flickr)

Llyfrgell Genedlaethol Cymru
179, 186, 193 (Casgliad Ray Daniel)

Llyfrgell Genedlaethol Cymru (Comin Wici)
14, 16, 55, 62, 85, 88, 90, 91, 93, 98, 101, 102 (2),
103, 104 (2), 108, 109, 115, 116, 117, 119, 125,
127, 131, 132, 133, 138, 139, 142, 144, 152, 178,
179, 181, 193, 194, 195

Llyfrgell Gyhoeddus Efrog Newydd
115 (Casgliad George Arents)

Llyfrgell Treftadaeth Cathays
171

Marian Delyth
92

Mirrorpix
15, 173, 175, 176, 201

Old Merthyr Tydfil (alangeorge.co.uk)
132

Parc Cenedlaethol Eryri
12

Pxhere.com
209

Radical Tea Towel
149

Rhys Mwyn / GCG
11 (2), 56 (2)

Simon Evans
128

Tata Steel, Trostre
145

Teulu Gwynfor Evans
187 (Ken Davies)

Urdd Gobaith Cymru
188 (4)

Comin Wikimedia
40, 41 (Paul Walter), 42 (Kev Griffin), 42 (Alan
Simkins), 46 (Llywelyn2000), 48 (Gareth James), 60
(PC), 83 (PC), 97 (2 PC), 107 (Seth Whales), 111
(Eirian Evans), 112 (Ham II), 139 (Pauline Eccles),
140 (Oxyman), 163 (PC), 175 (IWM PC), 181 (Ben
Brooksbank), 196 (Russ Hamer)

Wikimedia
58 (Gareth James), 60 (FU), 71 (Richard Croft), 89
(Llywelyn2000), 208 (Luca Galuzzi)

Ymddiriedolaeth Archaeoleg Clwyd-Powys / GCG
21

Ymddiriedolwyr yr Amgueddfa Brydeinig
39 (CC BY NC-SA 4.0)

Mynegai